bibliocollège

Yvain ou le Chevalier au lion

Texte conforme à l'adaptation de André MARY
chez Terre de Brume Éditions.

D1383638

Résumés, notes, questionnaires et dossier Bibliocollège
par **Marina GHELBER,**
professeur en collège

Crédits photographiques

Tous documents extraits de la photothèque Hachette Livre :
Couverture, p. 51 (haut) : *homme attaqué par un lion,* miniature de la Noble Chevalerie de Judas Maccabée et de ses nobles frères, 1285. **pp. 4, 21, 30, 34 :** *le Chevalier au lion,* Chrétien de Troyes. **p. 5 :** *la vie privée au temps des chevaliers et des châteaux forts.* **pp. 7, 66, 76 :** *visite de Perceval à la recluse,* Roman de Lancelot. **p. 18 :** Chrétien de Troyes, Manuscrit français. **p. 48** (haut) **:** Manuscrit français, XIVe siècle. (bas) *l'amant au dîner de sa dame,* illustration des œuvres de Guillaume Machault. **p. 51** (bas) **:** enluminure du Roman du bon chevalier Tristan de Léonois, XVe siècle. **p. 79 :** le Livre de Lancelot du Lac. **p. 93 :** *l'entrevue des amants,* Livre de messire Lancelot du Lac, tome II, XVe siècle. **p. 108 :** *les faneurs ou le mois de juin,* Très Riches Heures du Duc de Berry. **p. 111 :** miniature du Renaud de Montauban, tome I.

Conception graphique
Couverture : *Rampazzo et Associés* / Intérieur : *ELSE*
Mise en page
Alinéa
Illustration des questionnaires
Harvey Stevenson

ISBN 2.01.168416-1

© Hachette Livre, 2002, 43 quai de Grenelle, 75905 PARIS Cedex 15.
www.hachette-education.com

Sommaire

La rencontre entre Yvain et Laudine.

Introduction

Y vain ou le chevalier au lion : d'emblée le titre a tout pour séduire et intriguer l'adolescent du XXIᵉ siècle. Il le séduit car, depuis que l'univers des jeux vidéo s'est peuplé de donjons et dragons, le Moyen Âge lui est devenu familier. Il l'intrigue, car il suscite des interrogations et réveille des attentes : vers quels exploits le courage du chevalier uni à la force de son lion vont-ils entraîner le lecteur ?

Chef d'œuvre de Chrétien de Troyes, écrivain-poète du XIIᵉ siècle, ce roman nous fait remonter le temps : nous sommes à la cour du légendaire Roi Arthur qui règne sur ce territoire mystérieux qu'on appelait la Bretagne et qui s'étendait de l'Irlande à l'Armorique (la Bretagne actuelle), en passant par le Pays de Galles et la Cornouailles.

Yvain, jeune chevalier fougueux, brûle d'envie de faire ses preuves. L'occasion lui en est fournie par le récit de Calogrenant, son cousin germain. Celui-ci avoue avoir été honteusement vaincu par un mystérieux chevalier, maître d'une fontaine périlleuse qui a le pouvoir de déclencher des tempêtes dévastatrices lorsqu'on renverse son eau sur le perron qui l'entoure. Pour prouver sa vaillance et effacer l'humiliation subie par son parent, Yvain forme le projet de vaincre seul cet adversaire redoutable. C'est le début d'un cheminement guerrier où le héros traversera de nombreuses épreuves dont il sortira mûri et grandi. Jeune combattant désireux d'asseoir sa gloire personnelle au début du roman, Yvain devient le Chevalier au lion, justicier mettant son épée au service des plus faibles. En combattant le mal sous toutes ses formes, il acquiert une valeur exemplaire.

Récit d'exploits guerriers, mais également roman d'amour qui retrace le lien mouvementé entre Yvain et Laudine, cette œuvre, écrite vers 1172, connut immédiatement un grand succès et a traversé les siècles sans perdre son attrait. En effet, l'auteur excelle dans l'art de maintenir le suspense tout au long du récit, qui garde son unité malgré les nombreuses actions qui s'entrecroisent. Les multiples combats dont un roman de chevalerie ne saurait se passer changent sans cesse de décor – la cour du roi Arthur, la forêt de Brocéliande, le château de Pême-Aventure. Ces endroits magiques sont peuplés de héros attachants par leur humanité : ainsi Laudine, capricieuse et tyrannique mais bouleversante dans son amour meurtri, ou Lunette, malicieuse et loyale, ou encore Yvain qui accède au bonheur par le dépassement de soi.

Dépaysement par l'univers féerique des légendes celtes, suspense des épreuves sans cesse renouvelées, et émotion suscitée par l'amour menacé : tous ces atouts font de ce roman un livre captivant et facile à lire, qui comblera les attentes du lecteur.

Le récit de Calogrenant

Arthur, le noble roi de Bretagne[1], dont la vie excellente
nous enseigne à être preux[2] et courtois, tenait un jour sa
cour plénière[3]. C'était à Carduel en Galles, pendant cette
fête coûteuse qu'on appelle la Pentecôte. Après le repas,

5   les chevaliers s'assemblèrent dans les salles où les avaient
appelés les dames et les demoiselles. Les uns racontaient
des nouvelles, les autres parlaient de l'Amour, des
angoisses et des douleurs qu'il cause, comme aussi des
grands biens qu'en reçoivent souvent ses fidèles.

10   Ce jour-là, beaucoup s'étonnèrent de ce que le roi se leva
d'entre eux et se retira. Plusieurs en furent très fâchés, et en
murmurèrent longuement pour cette raison que jamais on
n'avait vu le roi, à une si grande fête, s'en aller dormir et

---

notes

1. Bretagne : *ici,* ce mot désigne la Grande Bretagne *(l'Irlande, le Pays de Galles, la Cornouailles)*
et la Petite Bretagne *(la Bretagne française actuelle).*
2. preux : courageux.
3. sa cour plénière : toute sa cour.

reposer dans sa chambre. C'est ce qui advint[1] ce jour-là : la
reine le retint, et il demeura tant auprès d'elle qu'il oublia
la cour et s'endormit.

Dodinel et Sagremor, Keu et messire Gauvain, et avec eux
messire Yvain, et un bon chevalier nommé Calogrenant
étaient dehors à la porte de la chambre, et là, Calogrenant
se mit à leur conter une histoire qui lui était arrivée, non
pas à son honneur mais à sa honte.

La reine prêtait l'oreille, et désireuse d'ouïr[2] le récit, elle
quitta le roi, et vint tout doucement au milieu d'eux. Nul
ne l'avait vue, et tous demeurèrent assis, à l'exception de
Calogrenant qui se leva devant elle.

Keu, esprit pointu et persifleur[3], et connu pour sa
malveillance, lui dit d'un ton plein d'aigreur :

— Par Dieu, Calogrenant, je vous sais vigoureux et alerte, et
il m'est très agréable que vous soyez le plus courtois de
nous tous. Et je vois bien que vous le pensez, tant vous
avez l'esprit éventé[4]. Il est juste que madame croie que
vous êtes plus poli et mieux élevé que nous. Sans doute,
nous avons négligé de nous lever par paresse, ou parce que
nous ne daignâmes ?… Ma foi, non, sire, nous n'avons pas
vu madame, voilà tout.

— Keu, fit la reine, je voudrais que vous fussiez au diable, si
vous ne pouvez pas vous vider du venin dont vous êtes plein.

— Dame, repartit Keu, si nous ne gagnons à votre compagnie, gardez[5] que nous n'y perdions pas. Je ne crois pas avoir
dit une chose qui puisse m'être reprochée. Il n'y a pas lieu[6]
et il ne serait pas courtois de se quereller à propos de

notes

1. ce qui advint : ce qui
arriva.
2. ouïr : entendre.

3. persifleur : moqueur.
4. vous avez l'esprit éventé :
vous manquez de bon sens.

5. gardez : prenez garde.
6. il n'y a pas lieu : il n'y a
pas de raison.

sornettes[1]. Faites-nous plutôt écouter ce qu'il avait commencé.

Calogrenant répliqua :

45 — Sire, je n'ai pas souci de la dispute ; je la prise fort peu[2]. Si vous m'avez offensé, le dommage ne sera pas grand. Messire Keu, vous avez dit souvent des choses blessantes à des gens de plus grand mérite que moi : c'est assez votre habitude. Toujours le fumier sentira, et l'on verra toujours
50 les taons piquer, les bourdons bourdonner et les fâcheux incommoder et nuire. Pour moi, je ne raconterai plus rien aujourd'hui, si madame me le permet, et je la prie de ne pas insister, et de m'accorder la faveur de ne pas me commander une chose qui me déplaise.

55 — Dame, fit Keu, tous ceux qui sont ici vous en sauront bon gré[3], car ils écouteront volontiers le récit de Calogrenant. De grâce, n'en faites rien pour moi, mais par la foi que nous devons au roi, votre seigneur et le mien, commandez-lui de parler, vous ferez bien.

60 — Calogrenant, dit la reine, ne vous occupez pas de la provocation du sénéchal[4]. Il est coutumier de[5] dire du mal, et l'on ne peut le corriger. Je vous prie de n'en garder au cœur aucun ressentiment[6], et ne laissez point[7] pour cela de nous dire une chose plaisante à entendre, si vous voulez conserver
65 mon amitié. Mais reprenez dès le commencement.

— Dame, ce que vous me commandez de faire m'est très pénible, certes. Je m'eusse laissé arracher un œil, si je ne

notes

1. **sornettes :** sottises.
2. **je la prise fort peu :** je l'apprécie peu.
3. **vous en sauront bon gré :** vous en remercieront.
4. **sénéchal :** officier royal ; c'est le titre de Keu.
5. **il est coutumier de :** il a l'habitude de.
6. **ressentiment :** rancune.
7. **ne laissez point pour cela :** que cela ne vous empêche pas.

craignais de vous mécontenter, plutôt que de raconter quoi que ce fût aujourd'hui. Mais je ferai ce qui vous convient, bien qu'il m'en coûte un peu. Écoutez donc !

70 Il advint il y a près de sept ans, que j'allais solitaire et cherchant aventure, armé comme un chevalier doit l'être. Je trouvai dans une forêt épaisse, un mauvais chemin, plein de ronces et d'épines où je m'engageai non sans peine. Je

75 chevauchai[1] ainsi, tout le jour entier ou à peu près, tant que je sortis de la forêt qui se nomme Brocéliande, et lors j'entrai dans une lande[2]. À une demi-lieue galloise environ, j'aperçus une bretèche[3]. Je m'y dirigeai au trot. Je vis l'enceinte et le fossé qui en faisait le tour et qui était large

80 et profond. Sur le pont se tenait le possesseur de la forteresse, qui portait un autour[4] sur le poing. Je ne l'avais pas encore salué, quand il vient me prendre à l'étrier et me pria de descendre. Je descendis, je n'avais pas autre chose à faire, car j'avais besoin d'un hôtel. Il me répéta plusieurs

85 fois tout d'un trait qu'il bénissait le hasard qui m'avait conduit à sa demeure. Alors nous passâmes la porte et entrâmes dans la cour au milieu de laquelle pendait un disque de cuivre. Le vavasseur[5] (à qui Dieu rende joie et honneur pour l'hospitalité qu'il me donna cette nuit) prit

90 un marteau qui était pendu à un poteau et en frappa le disque. À ce signal, les gens enfermés dans le château descendirent dans la cour. Plusieurs prirent mon cheval que tenait le bon vavasseur. Cependant accourait à moi une pucelle[6] belle et avenante.

---

notes

1. *chevaucher* : aller à cheval.
2. *lande* : étendue de terre où ne poussent que certaines plantes sauvages.
3. *bretèche* : *ici*, château.

4. *autour* : oiseau rapace utilisé pour la chasse.
5. *vavasseur* : vassal qui occupait le rang le plus bas dans la noblesse féodale.
6. *pucelle* : jeune fille.

95   Je la regardai avec attention : elle était grande, droite et élancée. Elle me désarma fort adroitement, puis elle m'affubla[1] d'un court manteau d'écarlate couleur de paon et fourré de vair[2]. Tous s'étaient retirés, de sorte que nous restâmes seuls, ce qui me plut fort. Elle me fit asseoir dans

100   un très joli préau clos de murs bas à la ronde. Je la trouvai si bien élevée et si bien parlante et instruite, et si charmante d'aspect et de manières que sa compagnie me fut délicieuse et je n'aurais voulu la quitter pour rien au monde. Mais le vavasseur vint nous déranger et nous cher-

105   cher, quand ce fut l'heure du souper. J'obéis donc. Je ne vous dirai rien du repas qui fut excellent, puisque la pucelle était assise en face de moi.

  Après souper, le vavasseur me dit qu'il ne savait depuis combien de temps il hébergeait des chevaliers errants qui

110   allaient chercher aventure, mais il en avait tant reçu chez lui ! Il me pria aussi de repasser à mon retour si je pouvais. Je lui en donnai l'assurance, car c'eût été malhonnête de l'éconduire[3]. C'était le moins que je puisse faire.

  Je fus très bien logé la nuit. Mon cheval fut sellé dès la

115   pointe du jour, suivant ma recommandation. Enfin je dis adieu à mon bon hôte et à sa chère fille et pris congé d'eux.

  À peine m'étais-je éloigné du château que je rencontrai, dispersés dans un essart[4], des taureaux sauvages qui

120   combattaient entre eux de façon si farouche, et faisaient un bruit si terrible que, pour vous dire la vérité, je reculai de peur.

---

notes

1. affubla : habilla.
2. vair : fourrure.

3. éconduire : refuser.
4. essart : terrain débroussaillé par le feu.

Je vis alors, assis sur une souche, une grande massue à la main, un vilain[1] ressemblant à un maure, lequel était si fort
125 et si hideux qu'on ne pourrait le dire. Je m'approchai de cet être horrible : je vis qu'il avait la tête plus grosse que celle d'un roncin[2], cheveux touffus, front pelé large de plus de deux empans[3], oreilles moussues et grandes comme celles d'un éléphant, avec cela sourcils énormes, visage plat,
130 des yeux de chouette, un nez de chat, la bouche fendue en gueule de loup, dents de sanglier aiguës et rousses, barbe noire et grenons[4] tortillés ; le menton joignait la poitrine, et l'échine[5] était longue, bossue et tortueuse. Il était appuyé sur sa massue et vêtu d'un accoutrement étrange
135 qui n'était ni de toile ni de laine, mais de deux cuirs de bœufs attachés à son cou.

Aussitôt qu'il me vit, le vilain se dressa sur ses pieds. Je ne savais ce qu'il me voulait, et je me mis en état de me défendre tant que je vis qu'il restait tout coi[6], sans bouger.
140 Il remonta sur son tronc et me regarda sans dire mot, comme une bête : je pensai qu'il n'avait pas de raison et ne savait parler. Toutefois je m'enhardis à lui adresser la parole.

— Va, lui dis-je, dis-moi si tu es bonne créature ou non. Et il me dit :
145 — Je suis un homme.

— Quel homme es-tu ?

— Tel que tu vois ; je n'ai jamais été autre.

— Que fais-tu ici ?

— Je garde ces bêtes dans ce bois.

---

notes

1. *vilain :* paysan.
2. *roncin :* cheval.
3. *empan :* ancienne mesure de longueur (environ 20 cm).
4. *grenons :* moustaches.
5. *échine :* colonne vertébrale.
6. *restait tout coi :* restait silencieux.

150 — Tu les gardes ? Par saint Pierre, elles ne connaissent pas l'homme ; je ne crois pas qu'en plaine ou au bois, l'on puisse garder une bête sauvage à moins qu'elle ne soit attachée ou enfermée.

— Je garde pourtant celles-ci et les gouverne de telle
155 manière qu'elles ne sortiront jamais de ce pourpris[1].

— Comment fais-tu ? Dis-moi le vrai.

— Il n'en est aucune qui ose bouger, dès qu'elles me voient venir. Quand je puis en tenir une, je l'empoigne si fortement par les cornes que les autres sont saisies de peur et
160 s'assemblent autour de moi, comme pour demander merci[2]. Nul autre que moi ne pourrait se risquer au milieu d'elles sans être tué aussitôt. Je suis le seigneur de mes bêtes. Mais toi, veux tu dire qui tu es et ce que tu cherches ?

165 — Je suis, tu le vois, un chevalier en quête de ce qu'il ne peut trouver.

— Et que voudrais-tu trouver ?

— Des aventures pour essayer mon audace et ma vaillance[3]. Dis-moi, je te prie, en connais-tu quelqu'une que je puisse
170 tenter ?

— Tu te fourvoies[4] ; je ne sais rien ici en fait d'aventures, et jamais je n'en ai ouï[5] parler. Mais si tu voulais aller jusqu'à une fontaine que je t'enseignerai[6], et que tu lui rendisses son droit[7], tu n'en reviendrais pas sans peine. Tu trouveras
175 tout près d'ici un sentier qui t'y conduira. Va droit devant toi, si tu ne veux pas perdre ton temps : tu pourrais sortir

1. ce pourpris : cet endroit.
2. merci : pitié.
3. vaillance : courage.
4. tu te fourvoies : tu te trompes.

5. ouï : entendu.
6. que je t'enseignerai : que je vais t'indiquer.
7. et que tu lui rendisses son droit : et en respecter la tradition.

de ton chemin, car il y en a beaucoup d'autres. Tu verras cette fontaine qui bouillonne et qui est plus froide que marbre. Le plus bel arbre de la nature la couvre de son *180* ombre ; il est vert en toute saison, et il y pend un bassin de fer par une longue chaîne qui tombe jusque dans la fontaine. Auprès tu trouveras un perron[1], comme jamais je n'en vis et ne saurai te dire et de l'autre côté une chapelle petite mais très belle. Si tu prends de l'eau dans le bassin et *185* que tu la répande[2] sur le perron, il s'élèvera une si épouvantable tempête que nul animal ne demeurera dans le bois, chevreuil, daim, cerf ni porc ; les oiseaux même fuiront à tire-d'aile[3], car tu verras foudroyer, venter, tonner et pleuvoir et les arbres fendus tomber sous les éclairs, et si *190* tu peux échapper sans encombre, tu auras une chance que jamais chevalier n'a eue.

Je quittai là-dessus le vilain qui m'avait montré ma voie. L'heure de tierce[4] était passée, et il pouvait être près de midi, quand je vis l'arbre et la chapelle. Je puis dire de *195* l'arbre que c'était le plus beau pin que jamais vint sur la terre : si fort qu'il plût, il ne laissa passer une seule goutte de la pluie qui coulait toute par dessus. Je vis pendu à l'arbre le bassin qui était non de fer, mais de l'or le plus fin. Quant à la fontaine, vous pouvez croire qu'elle bouillon-*200* nait comme eau chaude. Le perron était d'émeraude, avec quatre rubis plus flamboyants que le soleil au matin quand il paraît à l'orient, et il était percé comme une boute[5]. Sur ma conscience, je ne vous mentirai en rien. Je fus curieux de voir la merveille de la tempête, ce fut folie de ma part,

---

notes

1. perron : palier auquel on accède par plusieurs marches.
2. que tu la répande : que tu arroses.

3. à tire-d'aile : très vite.
4. tierce : prière de neuf heures du matin.
5. boute : tonneau.

205 et je m'en fus désisté[1] volontiers, si j'avais pu, aussitôt que j'eus arrosé le perron de l'eau du bassin. J'en versai trop, je le crains, car je vis le ciel tellement démonté que plus de quatorze éclairs à la fois frappaient mes yeux, et que les nues[2] jetaient pêle-mêle de la neige, de la pluie et de la
210 grêle. Le temps était si gros et si affreux que cent fois je pensai être tué par les foudres qui tombaient autour de moi et par les arbres fracassés. Sachez que mon angoisse fut grande, jusqu'à la fin de l'orage. Heureusement il ne dura guère, et il plut à Dieu de calmer les vents et d'apaiser la
215 tempête. Je fus transporté de bonheur, lorsque je vis le ciel se rasséréner[3] ; une telle joie fait vite oublier les plus grands tourments.

Je vis alors sur le pin des oiseaux assemblés en tel nombre, si vous voulez m'en croire, qu'il n'y avait branche ou
220 feuille qui n'en parussent toutes couvertes, et l'arbre en était plus beau, et tous les oiseaux chantaient, mais chacun un chant différent et s'accordant ensemble en une merveilleuse harmonie. Je me réjouis de leur joie, j'écoutai jusqu'au bout leur office[4] ; je n'avais jamais ouï auparavant
225 de si belle musique ; je ne pense pas que nul homme puisse en entendre une semblable à celle-ci qui me fut si suave et plaisante que je croyais rêver. Quand le chant cessa, j'entendis un galop qui s'approchait, et il me sembla au bruit que c'étaient des chevaliers au nombre d'au moins dix.
230 Mais il n'y en avait qu'un seul qui menait tout ce fracas[5]. Quand je le vis venir, je resanglai mon cheval et ne fus pas lent à monter.

notes

1. je m'en fus désisté : je me serais retiré.
2. nues : nuages.
3. se rasséréner : s'éclaircir.
4. office : ici, cérémonie, fête.
5. fracas : bruit.

Le chevalier accourut, menaçant et plus rapide qu'un aileron[1].

235 D'aussi loin qu'il le put, il commença à crier :

– Vassal[2], vous m'avez outragé[3], sans provocation. Vous auriez dû me défier[4] ou au moins réclamer votre droit avant de partir en guerre contre moi, s'il y a quelque différend[5] entre nous. Mais si je puis, sire Vassal, je ferai

240 retomber sur vous le dommage qui est patent[6]. La preuve en est dans mon bois qui est ravagé. Celui qui est lésé[7] doit se plaindre, et je me plains avec raison, vu que vous m'avez chassé de ma maison par la foudre et par la pluie. Vous m'avez molesté[8], et maudit soit qui l'approuvera !

245 Vous avez fait dans mon bois et dans mon château une dévastation contre quoi nul mur ne résiste, et tout secours d'armes et de gens est inutile. Par une telle tempête, il n'est pas de forteresse de pierre ou de bois où l'on soit en sûreté. Mais sachez bien que vous n'aurez de moi, désor-

250 mais, trêve ni paix.

Là-dessus nous en vînmes aux mains[9]. Chacun embrassa son écu[10] et s'en couvrit le corps. Le chevalier avait un bon cheval bien plus fort que le mien, une lance d'une longueur et d'un poids énormes, et il était certainement

255 plus grand que moi de la tête. Ce fut le comble de la malchance, je vous dis la vérité pour couvrir ma honte, je ramassai toute ma force et lui donnai le plus grand coup que je pus ; je l'atteignis à la boucle de l'écu ; ma lance vola

notes

1. **aileron :** grand aigle.
2. **vassal :** homme lié par un serment de fidélité à un seigneur qui lui donnait une terre ou un domaine.
3. **outragé :** insulté.

4. **défier :** provoquer au combat.
5. **différend :** querelle.
6. **patent :** évident.
7. **lésé :** qui a subi un tort.
8. **molesté :** maltraité.

9. **nous en vînmes aux mains :** nous commençâmes à nous battre.
10. **chacun embrassa son écu :** chacun saisit son bouclier.

en pièces, et la sienne resta entière. Il me frappa si rudement qu'il me mit à terre tout plat, puis sans me regarder, il prit mon cheval et s'en fut, me laissant honteux et mat[1]. Je m'assis pensif près de la fontaine et me reposai un peu. Je n'osai suivre le chevalier, c'eût été folie, et je ne sais ce qu'il devint.

À la fin, je délibérai[2] de tenir la promesse que j'avais faite à mon hôte, et de revenir par chez lui. Ce que je fis. Ayant jeté mon armure pour être plus agile, je m'en retournai tout confus.

J'arrivai le soir et trouvai le vavasseur tel que je l'avais laissé, aussi plein de bonne humeur et de courtoisie que la veille. Il ne me parut pas que sa fille ou lui me vissent avec moins de plaisir et me fissent moins d'honneur. Ils me dirent qu'ils n'avaient jamais appris que nul eût pu s'échapper du lieu d'où je venais et n'y eût pas été tué ou retenu prisonnier.

Ainsi j'allais, ainsi je revins, non sans me tenir pour fou d'avoir commis une telle imprudence. Telle est mon histoire que j'ai eu la sottise de vous conter, ce que je n'avais jamais voulu jusqu'ici.

notes

1. mat : vaincu.
2. délibérai : décidai.

La défaite de Calogrenant, miniature du Moyen Âge.

Au fil du texte

AVEZ-VOUS BIEN LU?

1. Où et quand l'action de ce chapitre débute-t-elle?

2. Quel roi règne sur cet endroit?

3. Qui raconte sa propre mésaventure?

4. Par qui avait-il été hébergé?

5. Dans sa quête★ d'aventures, quel horrible personnage rencontre-t-il?

6. Que trouve-t-il à l'endroit indiqué par cet homme?

7. Que se passe-t-il alors?

quête: recherche.

synonyme: mot qui a le même sens qu'un autre.

proposition: partie de phrase qui contient un verbe.

ÉTUDIER LE VOCABULAIRE ET LA GRAMMAIRE

8. Reliez les mots de la première colonne à leur synonyme★ dans la deuxième colonne.

ouïr   •   • courage
persifleur •   • querelle
preux   •   • moqueur
vaillance   •   • entendre
différend •   • courageux

9. À quel temps et à quel mode sont les verbes soulignés dans le passage suivant:
«De grâce, n'en <u>faites</u> rien pour moi, mais par la foi que nous devons au roi, votre seigneur et le mien, <u>commandez</u>-lui de parler, vous <u>ferez</u> bien.»

10. Séparez la phrase de l'exercice 9 en propositions★ par des barres verticales. Combien avez-vous trouvé de propositions?

11. Cochez la bonne réponse. Les propositions qui contiennent des verbes soulignés sont :

☐ déclaratives.   ☐ interrogatives.

☐ impératives.   ☐ exclamatives.

ÉTUDIER LE DISCOURS

12. Quelle forme de discours prédomine★ dans le passage « Il advint… » (p. 10, l. 71) jusqu'à « Toutefois je m'enhardis… » (p. 12, l. 142) ?

13. Quel est le temps verbal le plus utilisé dans ce passage ?

14. Quel est l'émetteur★ dans ce passage ?

15. Qui sont les destinataires★ ?

ÉTUDIER L'ÉCRITURE

16. Pour décrire le vilain rencontré par Calogrenant (p. 12), l'auteur utilise une énumération★. Délimitez-la par des crochets dans le texte et indiquez la nature des groupes de mots qui la composent.

ÉTUDIER LA PLACE DE L'EXTRAIT DANS L'ŒUVRE

17. Cochez la bonne réponse. Ce chapitre pourrait être :

☐ l'élément perturbateur.

☐ la situation initiale.

☐ l'élément de résolution.

À VOS PLUMES !

18. Le sénéchal Keu, connu pour sa méchanceté et son caractère moqueur, raconte à sa manière la mésaventure de Calogrenant à un chevalier qui n'était pas présent lors du récit à la cour.

prédomine : est la plus fréquente.

émetteur : personne qui produit le message.

destinataire : personne qui reçoit le message.

énumération : suite de mots de même nature, séparés par une virgule.

La mort d'Esclados le Roux

Le roi Arthur décide de se rendre en forêt de Brocéliande avec sa suite pour affronter et vaincre le chevalier de la fontaine. Mais Yvain rêve d'accomplir cet exploit seul car le sénéchal Keu l'a vexé par ses moqueries lorsqu'il avait promis de venger Calogrenant, son cousin germain. Il part avant le roi et suit le même chemin que Calogrenant. Comme lui, il est hébergé par le vavasseur, croise le gardien des taureaux sauvages et renverse l'eau de la fontaine merveilleuse sur le perron, ce qui déclenche une affreuse tempête. Rendu furieux par les dégâts provoqués sur ses terres, Esclados le Roux, le châtelain de l'endroit, attaque Yvain. Un terrible combat s'engage pendant lequel le jeune chevalier blesse grièvement Esclados.

Le chevalier éprouva une si grande douleur que peu s'en fallut que le cœur ne lui manquât. Il sentit qu'il était blessé à mort et que toute défense était inutile, et il prit la fuite au galop vers sa ville.

5 Le pont était abaissé et la porte grande ouverte. Messire Yvain éperonna[1] de toute sa force et le poursuivit. Comme le gerfaut[2] randonne[3] la grue, prend son vol de loin, peu à peu l'approche, croit la tenir, mais n'y touche, ainsi fait messire Yvain qui chasse le fugitif et le serre de si près qu'il
10 l'entend gémir et que peu s'en faut qu'il ne l'embrasse[4], et toutefois il ne parvient pas à l'atteindre. Le chevalier blessé s'enfuit de toute la vitesse dont il est capable. L'autre s'évertue à le chasser, car il croirait avoir perdu sa peine, s'il ne le prenait mort ou vif, quand il pense aux insolents
15 propos de monseigneur Keu. Il n'est pas quitte de la promesse qu'il a faite à son cousin Calogrenant et on ne le croira que s'il donne la preuve de son exploit.

Le chevalier l'entraîna jusqu'à la porte de la ville, et tous deux y entrèrent. Ils ne trouvèrent homme ni femme dans
20 les rues par où ils passèrent, et ils furent bientôt devant les murs du palais.

La porte en était large et haute, mais l'entrée était si étroite que deux hommes ou deux chevaux ne pouvaient sans encombre y passer de front, ou s'y rencontrer au milieu,
25 car elle était faite comme le piège qui guette le rat, quand il vient au larcin : un couteau[5] y est suspendu qui se déclique et prend[6], car il tombe au moindre mouvement de la clé[7]. Ainsi sur le seuil étaient deux trébuchets[8] qui soutenaient une porte à coulisses[9], toute en fer bien
30 émoulu[10]. Si un homme ou un animal quelconque montait

notes

1. *éperonna :* piqua de l'éperon (*pièce de métal fixée au talon, destinée à stimuler le cheval*).
2. *gerfaut :* sorte de faucon, oiseau rapace.
3. *randonne :* s'élance sur.
4. *l'embrasse :* le touche.
5. *un couteau :* ici, une lame.
6. *se déclique et prend :* se déclenche et tue.
7. *clé :* ici, un ressort.
8. *trébuchet :* ressort.
9. *porte à coulisses :* herse.
10. *émoulu :* aiguisé.

sur cet engin, la porte descendait, tranchant ou attrapant celui qui s'y était aventuré. Juste au milieu des deux trébuchets, le passage était aussi étroit qu'un sentier battu. Le chevalier s'y était engagé avec prudence ; et messire Yvain

35   follement s'y jeta, bride abattue[1] : il atteignit son adversaire presque à l'arçon[2] de derrière ; il se pencha heureusement en avant, sans quoi il eût été pourfendu[3]. Le cheval marcha sur le bois qui soutenait la porte. Aussitôt comme diable d'enfer, l'huis s'abattit contreval[4], tranchant le destrier[5] par

40   le milieu, avec le derrière de la selle et les deux éperons au ras des talons de monseigneur Yvain. Il l'avait échappé belle. Il tomba à la renverse, saisi d'une grande frayeur ; et de cette façon le chevalier blessé à mort lui échappa.

Il y avait une seconde porte semblable à celle de devant, et

45   qui tomba, quand le chevalier l'eut franchie.

Messire Yvain se trouva enfermé dans une salle toute cièlée[6] à clous dorés et dont les murs étaient ornés de riches peintures. Il fut stupéfait, mais ce qui le tourmentait le plus, c'était de ne pas savoir où le chevalier s'était réfugié.

50   Tandis qu'il était plongé dans ces réflexions, il entendit ouvrir une petite porte d'une chambrette qui se trouvait à côté ; et il en sortit une demoiselle très belle et avenante ; après quoi l'huis se referma. Quand elle vit monseigneur Yvain, elle fut tout d'abord interdite[7].

55   — Chevalier, fit-elle, je crains que vous ne soyez le malvenu. Si vous êtes vu céans[8], vous y serez mis en pièces,

---

notes

1. **bride abattue :** à toute vitesse.
2. **arçon :** armature de la selle.
3. **pourfendu :** fendu de haut en bas.
4. **l'huis s'abattit contreval :** la herse tomba d'un seul coup.
5. **destrier :** cheval.
6. **cièlée :** au plafond décoré.
7. **interdite :** très étonnée.
8. **céans :** en ces lieux, ici.

car messire est blessé à mort, et je sais que c'est vous qui l'avez tué. Madame en fait un tel deuil, et ses gens crient si fort que pour un peu ils se tueraient de désespoir. Ils vous
60 savent ici, mais ne songent guère à vous en ce moment, tant leur douleur est grande. Mais ils pourront vous tuer ou vous prendre, quand ils le voudront.

— S'il plaît à Dieu, répondit messire Yvain, ils ne me tueront pas, et je ne serai pas leur prisonnier.

65 — Non, fit-elle, et je vous y aiderai de tout mon pouvoir je vois que vous êtes prud'homme[1], car vous ne connaissez pas la peur. Je veux vous rendre service comme vous me fîtes naguère[2]. Une fois, madame m'envoya en message à la cour du roi. Peut-être ne me suis-je pas tenue comme une
70 pucelle le doit, mais il n'y eut pas un chevalier qui daigna m'adresser la parole à l'exception de vous seul. Je vous rendrai l'honneur que vous me fîtes ce jour-là. Je sais quel est votre nom, car je vous ai bien reconnu. Vous êtes le fils du roi Urien, et vous vous nommez messire Yvain. Or
75 soyez sûr et certain que jamais, si vous voulez me croire, vous ne serez malmené ; vous n'avez qu'à prendre cet anneau que vous me rendrez, s'il vous plaît, quand je vous aurai délivré. Il a cette vertu[3], lorsque la pierre est tournée au-dedans, de rendre invisible celui qui le porte, ainsi que
80 l'aubier[4] revêtu de son écorce.

Messire Yvain était très heureux du tour que prenait son aventure. Il accepta l'anneau, et ils allèrent s'asseoir sur un lit recouvert d'une couette magnifique. La pucelle lui dit

notes

1. **prud'homme :** homme de valeur.
2. **naguère :** autrefois.
3. **cette vertu :** ce pouvoir.
4. **l'aubier :** la partie jeune de l'arbre, sous l'écorce.

ensuite que s'il voulait, elle lui apporterait à manger.
85 Messire Yvain accepta volontiers. Elle sortit et revint
promptement, apportant un chapon[1] rôti et un gâteau avec
une nappe et un plein pot de vin excellent. Messire Yvain,
qui avait faim et soif, but et mangea à souhait.

Cependant les chevaliers se mettaient en devoir de le cher-
90 cher, car ils voulaient venger leur seigneur qui était déjà
mis en bière[2].

– Ami, dit la pucelle, écoutez ! Ils vous cherchent. Il y a
grand tapage dans la maison, mais quoi qu'il arrive, ne
bougez pas, car ils ne vous trouveront pas, si vous demeu-
95 rez sur ce lit. Vous allez voir cette salle envahie par des gens
furieux qui pensent vous y trouver. Je crois qu'ils apporte-
ront par ici le corps pour le mettre en terre. Ils fouilleront
sous les bancs et sous les lits ; il serait divertissant, pour
quelqu'un qui n'aurait aucun sujet de craindre, de voir ces
100 gens aveuglés, car ils seront si déconfits[3] et si moqués qu'ils
enrageront de colère. Je n'ai plus rien à vous dire, et je ne
veux pas demeurer davantage. Mais puissé-je remercier
Dieu qui m'a donné l'occasion de vous être utile.

Là-dessus, elle s'en retourna.

105 Aussitôt que les gens furent assemblés, ils vinrent en foule
aux portes des deux côtés, brandissant des bâtons et des
épées ; ils virent sur le seuil la moitié du cheval tranché. Ils
croyaient s'emparer, une fois entrés, de celui qu'ils cherchaient pour l'occire[4]. Ils firent enlever les portes qui
110 avaient causé la mort de beaucoup. Il n'y eut cette fois ni

notes

1. chapon : jeune coq.
2. bière : cercueil.
3. déconfits : déçus.
4. occire : tuer.

trébuchet ni piège tendu ; ils pénétrèrent tous de front, et ils trouvèrent de l'autre côté l'autre moitié du cheval mort. Mais ils n'aperçurent, pas plus les uns que les autres, monseigneur Yvain qu'ils eussent massacré volontiers.

115 Celui-ci les voyait enrager, et rouler des yeux égarés, comme s'ils fussent hors de sens. Ils disaient :

– Qu'est-ce que cela signifie ? Il n'y a pas d'huis[1] ni de fenêtre d'où l'on puisse s'évader, à moins que d'être un oiseau, un écureuil ou une belette ou telle autre bête aussi
120 petite ou plus encore, car les fenêtres sont ferrées, et les portes ont été fermées dès que messire eut déguerpi. Le meurtrier est ici, mort ou vif, car il n'est pas demeuré dehors. Il y a céans plus de moitié de la selle, et nous ne trouvons que les éperons tranchés qui lui tombèrent des
125 pieds. Mais trêve de bavardage ! Cherchons dans tous les coins, car il est certainement ici ; ou nous sommes tous enchantés, ou c'est que le Maufé[2] nous l'a ravi[3] !

Et tous, échauffés de colère, le cherchaient dans la salle, frappant sur les parois, sur les lits et sur les bancs, sauf sur la
130 couette où il gisait. Ils fouillèrent et fourgonnèrent[4] partout, comme des aveugles qui cherchent à tâtons.

Tandis qu'ils allaient battant les lits et les escabeaux, parut une des plus belles dames qu'ait jamais vue créature terrienne. Elle était si folle de douleur que pour un peu elle
135 se fût tuée ; elle poussait de grands cris, puis n'en pouvant plus, elle tombait pâmée[5] ; et quand elle s'était relevée, elle recommençait à déchirer ses vêtements et à tirer ses cheveux. Rien ne pouvait la consoler, car elle voyait devant

notes
_____

1. *huis :* porte.
2. *le Maufé :* le Diable.
3. *ravi :* enlevé.
4. *fourgonnèrent :* tapèrent avec des bâtons.
5. *pâmée :* évanouie.

140 elle son seigneur qu'on emportait en bière. L'eau bénite, la croix et les cierges allaient devant avec les dames d'un couvent, puis venaient les textes et les encensoirs[1], et les clercs[2] qui donnent l'absoute[3] à l'âme infortunée.

Messire Yvain vit le deuil, entendit les pleurs qu'on ne saurait décrire ; et la procession passa dans la salle : tout à
145 coup la foule se pressa autour de la bière, car le sang vermeil s'était mis à sortir de la plaie du mort, et c'était la preuve certaine que le meurtrier était là. Lors ils recommencèrent à chercher et à fouiller, tant qu'ils tréssuaient[4] tous de l'affolement et du vacarme qu'ils menaient devant le sang qui
150 dégouttait de la bière.

Messire Yvain fut frappé et poussé dans l'endroit où il gisait mais il ne bougea pour autant ; et les gens enrageaient de plus en plus, s'émerveillant devant ces plaies qui se rouvraient et saignaient. Ils ne savaient à quoi s'en
155 prendre, et chacun disait :

– Celui qui l'a tué est parmi nous, et nous ne le voyons pas : c'est merveille et diablerie !

L'étrangeté de ce spectacle redoublait la douleur de la dame qui s'écriait :
160 – Ha ! Dieu ! ne trouvera-t-on donc point l'homicide, le traître qui m'a tué mon bon mari, le meilleur des meilleurs, devrais-je dire ? Vrai Dieu, ce sera ta faute, si tu le laisses ainsi échapper ; je ne saurais blâmer autre que toi qui le dérobes à ma vue. Jamais on ne vit tel abus, et telle injustice que celle
165 que tu commets à mon égard, quand tu ne me laisses voir

notes

1. **encensoirs :** récipients dans lesquels on brûle l'encens dans les cérémonies religieuses.
2. **clercs :** hommes d'église.
3. **donnent l'absoute :** accordent le pardon des péchés.
4. **tréssuaient :** transpiraient.

celui qui est si près de moi. Je peux dire non sans raison qu'un fantôme ou que l'ennemi s'est glissé parmi nous. J'en suis toute ensorcelée. Puisqu'il est couard[1], il me redoute ; il est couard quand il me craint. Cela lui vient de grande

170 couardise qu'il n'ose se montrer à moi ! Ah ! Fantôme, peureuse créature ! Pourquoi es-tu si lâche envers moi, quand tu fus si hardi envers mon seigneur ? Chose misérable, chose faillie, que ne t'ai-je en mon pouvoir ? Que ne puis-je te tenir ? Comment aurais-tu pu faire périr mon seigneur, sinon

175 par trahison ? Jamais il n'eut été vaincu, s'il avait pu te voir, car il n'a pas son pareil au monde. Certes, si tu étais mortel, tu n'aurais pas osé attenter aux jours de ce chevalier sans pareil.
Ainsi la dame se révolte dans la douleur qui la brise, et se tourmente, et se met au supplice, et ses gens en ont grand

180 deuil et compassion[2].
Ils avaient tant fouillé et exploré qu'ils furent las[3] des recherches, et les abandonnèrent découragés, ne pouvant mettre la main sur nul qui pût être soupçonné du meurtre. Ils emportèrent le corps pour l'enfouir.

185 Tandis que les nonnians[4] et les prêtres, le service fini, sortaient de l'église, et se rendaient à la sépulture[5], la demoiselle que tout cela laissait indifférente, revint auprès de monseigneur Yvain.
– Beau sire, lui dit-elle, vous avez vu cette foule de gens

190 armés se ruer sur vous. Dieu sait s'ils ont tempêté ! Ils ont fouillé tous les coins et cachettes plus menu[6] que braque[7] ne va quêtant la perdrix ou la caille. Vous avez eu peur sans doute.

notes

1. **couard :** peureux.
2. **compassion :** pitié.
3. **las :** fatigués.
4. **nonnians :** religieuses.
5. **sépulture :** ici, l'enterrement.
6. **plus menu :** avec plus d'attention.
7. **braque :** chien de chasse.

— Plus que je ne pensais, ma foi. Mais si cela se pouvait, je
195 verrai volontiers la procession et le corps par quelque pertuis[1] ou fenêtre.

Mais ce n'était pas au corps ni au convoi qu'il portait intérêt ; il eût voulu qu'ils fussent tous brûlés lui en eût-il
coûté mille marcs, mille marcs, que dis-je ? trois mille.

200 Il demandait à voir la procession pour regarder tout à son
aise la dame du château.

La demoiselle le mit à une petite fenêtre, heureuse de s'acquitter envers lui de ce qu'elle lui devait.

La procession passa. La veuve continuait sa plainte à haute
205 voix.

— Beau sire, disait-elle, Dieu ait merci de votre âme, aussi
vrai qu'à mon escient[2], jamais preux assis sur selle ne vous
valut, autant en vaillance qu'en courtoisie ! Largesse était
votre amie, Courage votre compain[3]. Que votre âme soit
210 en la compagnie des saints, beau doux sire !

Là-dessus, elle se frappe et déchire ses vêtements.

Messire Yvain se retient à grand-peine de courir l'en
empêcher.

Mais la demoiselle le supplie et lui enjoint[4] de n'en rien
215 faire.

— Vous êtes très bien ici, dit-elle ; n'en bougez jusqu'à tant
que sa douleur soit calmée, et laissez partir ces gens, ce qui
ne tardera guère. Si vous vous conduisez selon mes conseils,
il en résultera grand bien pour vous. Demeurez ici pour
220 voir aller et venir les gens qui passent, mais gardez-vous de
toute imprudence. Le sage couvre ses folles pensées et

notes

1. *pertuis :* ouverture.
2. *à mon escient :* à ma connaissance.
3. *compain :* compagnon.
4. *enjoint :* ordonne.

tâche, s'il peut, à exécuter les bons desseins[1]. Ne mettez pas votre tête en gage, car on n'en prendrait pas rançon, et soyez attentif à bien suivre mes avis. Restez en paix jusqu'à
225 ce que je revienne. Je ne puis demeurer davantage, car si l'on ne me voyait mêlée aux autres, l'on me soupçonnerait, et je serais rudement gourmandée[2].

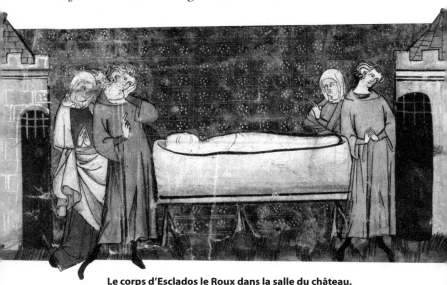

Le corps d'Esclados le Roux dans la salle du château.

notes

1. *desseins* : projets.
2. *je serais gourmandée* : on me ferait des reproches.

30

Au fil du texte

QUE S'EST-IL PASSÉ ENTRE-TEMPS?

1. Quelle décision le roi Arthur prend-il à la fin du récit de Calogrenant?

2. Quel projet Yvain forme-t-il?

3. Que lui arrive-t-il?

AVEZ-VOUS BIEN LU?

Cochez les bonnes réponses.

4. Yvain engage le combat avec le châtelain qui garde la fontaine périlleuse et

☐ il est vaincu et bat en retraite.

☐ il le blesse grièvement, celui-ci en mourra.

☐ leurs forces étant égales, ils renoncent au combat.

5. Après le combat, Yvain

☐ retourne au château du roi Arthur.

☐ pénètre dans le château de son adversaire.

☐ retourne chez le vavasseur.

6. Dans cet endroit, Yvain survit grâce à l'aide

☐ de son cheval.

☐ de son lion.

☐ d'une demoiselle.

7. Yvain est le fils

☐ du roi Urien.

☐ du roi Arthur.

☐ de messire Gauvain.

ÉTUDIER LE VOCABULAIRE ET LA GRAMMAIRE

8. Donnez les synonymes★ des mots :
• destrier   • frayeur   • ornés   • occire

9. Séparez en groupes fonctionnels la phrase suivante et donnez la fonction de chaque groupe :

Il demandait à voir la procession pour regarder tout à son aise la dame du château. (p. 29)

synonyme : mot qui a le même sens qu'un autre.

ÉTUDIER LE DISCOURS

10. Dans le passage «Le pont était abaissé» jusqu'à «devant les murs du palais» (l. 5 à 21, p. 22), relevez les reprises nominales et pronominales qui désignent :
— Yvain.
— le châtelain.
— les deux combattants.

11. Quels arguments la demoiselle emploie-t-elle pour empêcher Yvain de révéler sa présence dans le passage «Vous êtes très bien ici...» (l. 216, p. 29) jusqu'à la fin du chapitre.

ÉTUDIER L'ÉCRITURE

12. Quelle figure de style l'auteur utilise-t-il dans le passage suivant : «La porte... était faite comme le piège qui guette le rat, quand il vient au larcin.» (l. 22 à 26, p. 22)

ÉTUDIER UN THÈME: L'OBJET MAGIQUE

13. Afin qu'Yvain échappe à ses poursuivants,
la demoiselle le rend invisible en lui remettant

☐ un chapeau.

☐ un anneau.

☐ une épée magique.

14. Ce même objet sert de signe de reconnaissance
aux amants dans l'une des œuvres du groupement à
la fin de ce livre. S'agit-il de

☐ Tristan et Iseut?

☐ Le Cid?

☐ Don Quichotte de la Mancha?

LIRE L'IMAGE

15. À votre avis, qui sont les personnages présents
autour du cercueil d'Esclados (p. 30) ?

16. Quelle remarque peut-on faire sur la taille
des personnages par rapport à celle des deux tours
(p. 30) ?

La veuve et le meurtrier

Yvain tombe amoureux de Laudine, la veuve d'Esclados le Roux, mais, en proie à une très vive douleur, celle-ci ne songe qu'à venger la mort de son époux. Cependant, la demoiselle qui avait sauvé Yvain à son arrivée au château l'aide à nouveau. Elle persuade sa maîtresse que, puisqu'il a vaincu le maître des lieux réputé pour son courage, il est le seul chevalier capable de défendre sa fontaine et d'empêcher ainsi la destruction de son royaume. Pressée de trouver un défenseur avant l'attaque annoncée du roi Arthur, Laudine accepte de rencontrer Yvain en secret.

Messire Yvain eut grande appréhension à l'entrée de la chambre où l'on attendait impatiemment sa venue et où il craignait d'être mal accueilli. La dame, quand elle l'aperçut, ne dit pas un mot, ce qui augmenta sa frayeur. Il se
5 crut trahi, et il demeura immobile à la porte.
La pucelle s'écria :
– Aux cinq cents diables qui mènent dans la chambre d'une belle dame un chevalier qui n'ose approcher, et n'a ni langue ni esprit pour se faire connaître. Chevalier, çà venez !

10 N'ayez pas peur que ma dame vous morde, mais implorez d'elle la paix. Et je la prierai avec vous qu'elle vous pardonne la mort d'Esclados le Roux, son défunt mari.

Messire Yvain joignit les mains, s'agenouilla et parla en véritable ami :

15 — Dame, je ne crierai pas merci, mais je vous remercierai de tout ce que vous ferez de moi, car rien qui vienne de vous ne saurai me déplaire.

— Rien, sire ? Et si je vous faisais tuer ?

— Grand merci à vous, dame : vous n'entendrez jamais dire 20 autre chose.

— Je n'ai jamais vu cela : vous vous mettez du tout au tout et volontiers en mon pouvoir, et cela sans que je vous contraigne[1].

— Dame, il n'est pas, sans mentir, une force comparable à 25 celle qui me commande de faire votre entière volonté. Je ne redoute[2] rien de ce qu'il vous plaira de m'ordonner. Et si je pouvais réparer[3] le meurtre que j'ai commis malgré moi, je le réparerais sans contredire[4].

— Malgré vous ? Dites-moi comment, et je vous tiens 30 quitte[5] de la réparation. Vous n'avez pas méfait[6] quand vous tuâtes mon seigneur ?

— Pardon, madame : quand votre seigneur m'attaqua, eus-je tort de me défendre ? Un homme attaqué qui tue celui qui veut le prendre ou l'occire fait-il mal ?

35 — Non, si l'on considère bien la justice, et je pense qu'il serait coupable s'il avait tué. Mais je voudrais bien savoir

notes

1. *sans que je vous contraigne :* sans que je vous y oblige.
2. *redoute :* crains.
3. *réparer :* effacer, faire oublier.

4. *contredire :* résister.
5. *je vous tiens quitte :* vous ne me devrez pas.
6. *vous n'avez pas méfait ? :* n'avez-vous pas mal agi ?

YVAIN OU LE CHEVALIER AU LION

d'où vous vient cette force qui vous commande de m'obéir sans réserve. Je vous passe tout tort et tout méfait. Mais seyez-vous, et me contez[1] comment il se fait que
40 vous vous êtes si bien apprivoisé[2].

Dame, la force qui me pousse vient de mon cœur qui dépend entièrement de vous. C'est mon cœur qui m'a mis en ce désir.

   — Et qui le cœur, bel ami ?
45   — Vos yeux, madame.

   — Et les yeux qui ?

   — La grande beauté que je vis en vous.

   — Et la beauté, qu'a-t-elle donc fait ?

   — Elle a tant fait que je suis amoureux.
50   — Amoureux, et de qui ?

   — De vous, chère dame.

   — De moi ?

   — Certes.

   — De quelle manière ?
55   — De telle manière qu'un amour plus grand n'est pas possible, que mon cœur ne peut se séparer de vous et aller ailleurs, que je ne puis penser à autre chose, que je vous aime plus que moi-même et qu'à votre gré, pour vous je veux mourir ou vivre.
60   — Et vous oseriez entreprendre de défendre ma fontaine ?

   — Oui, madame, contre tout homme.

   — Sachez donc que la paix est faite entre nous.

Ainsi l'accord fut promptement conclu.

La dame avait tenu auparavant un parlement[3] avec ses
65 barons.

---

notes

1. *me contez :* racontez-moi.   3. *parlement :* réunion.
2. *apprivoisé :* soumis à ma volonté.

— Nous irons dans cette salle, dit-elle, où sont mes gens qui m'ont conseillée et requise[1] de prendre un mari, pour la nécessité qu'ils y voient. Je le ferai aussi par nécessité. Ici même, je vous accorde ma main, car je ne la dois pas refu-
70 ser à un seigneur, bon chevalier et fils de roi.

Là-dessus ils entrèrent dans la salle qui était pleine de chevaliers et de sergents. Messire Yvain avait si noble pres-tance[2] que tous le regardèrent avec admiration ; tous se levèrent devant lui et le saluèrent. Ils disaient :
75 — C'est sans doute celui que madame prendra. Malheur à qui s'y opposera, car il semble prud'homme à merveille. Certes l'impératrice de Rome serait bien mariée avec lui. Puisse-t-il avoir engagé sa foi à madame, et puisse-t-elle lui avoir promis de l'épouser aujourd'hui ou demain !
80 La dame alla s'asseoir sur un banc, au bout de la salle, et messire Yvain fit mine de vouloir se placer à ses pieds, mais elle le fit lever. Puis elle invita le sénéchal à dire les paroles qui devaient être entendues de tous.

Lors le sénéchal obéit et parla à voix claire :
85 — Seigneurs, la guerre nous est déclarée. Le roi se prépare, avec toute la hâte possible, à envahir nos terres. Avant la fin de la quinzaine, elles seront dévastées, si nous n'avons un bon défenseur. Quand ma dame se maria, il y a sept ans, elle le fit par votre conseil. Notre seigneur est mort : il
90 n'a plus qu'une toise[3] de terre, celui qui tenait tout ce pays et le gouvernait si bien : c'est grand deuil qu'il ait peu vécu. La femme n'est pas faite pour porter l'écu et la lance, mais elle peut s'amender[4] et se renforcer en prenant

notes

1. *m'ont requise :* m'ont demandé.
2. *prestance :* allure.
3. *toise :* mesure de longueur (*près de deux mètres*).
4. *s'amender :* s'améliorer.

un bon seigneur ; jamais elle n'en eut plus grand besoin.
95 Conseillez-lui tous de se remarier, plutôt que de laisser
perdre la coutume qui existe en ce château, depuis plus de
soixante ans.

Tous approuvèrent le sénéchal et vinrent aux pieds de la
dame. Ils la pressèrent de mettre son dessein à exécution.
100 Elle se fit prier et, comme malgré elle, octroya[1] ce qu'elle
eût fait contre leur avis.

— Seigneur, dit-elle, puisque tel est votre plaisir, je vous
dirai que ce chevalier, que vous voyez assis à mon côté, m'a
beaucoup priée et requise. Il veut se mettre à mon service,
105 et je l'en remercie. Et vous, remerciez-le aussi. Certes, je ne
le connaissais point avant ce jour, mais j'avais beaucoup ouï
parler de lui. Il est haut homme[2], sachez-le : c'est le fils du
roi Urien. Outre qu'il est de haut parage[3], il est si vaillant,
et il a tant de sens et de courtoisie que l'on ne doit pas me
110 déconseiller de l'épouser. Vous avez entendu parler, je
crois, de monseigneur Yvain : c'est lui qui me demande ma
main. Je n'osais espérer un parti si avantageux.

— Si vous êtes raisonnable, dirent les chevaliers, vous n'at-
tendrez pas à demain pour vous marier, car c'est folie que
115 de retarder d'une heure le profit qu'on espère.

Ils la prièrent tant qu'elle octroya ce qu'elle aurait fait sans
eux, car Amour le commandait. Mais la dame trouvait plus
honorable de prendre mari, avec l'approbation[4] de ses
gens ; les prières, loin de lui être une gêne, l'excitaient et
120 l'encourageaient à suivre son penchant : le cheval fringant[5]
redouble de vitesse quand on l'éperonne.

notes

1. *octroya* : accorda.
2. *haut homme* : homme de haute naissance, un noble.
3. *de haut parage* : noble.
4. *approbation* : accord.
5. *fringant* : vif.

C'est ainsi que le jour même, dame Laudine de Landuc, fille du duc Laudunet, épousa monseigneur Yvain, fils du roi Urien.

125 Un chapelain prit leurs mains en présence de tous les barons. Les noces furent riches et magnifiques ; il y eut beaucoup de crosses[1] et de mitres[2], car la dame avait mandé[3] ses évêques et ses abbés.

Maintenant messire Yvain était le maître et le seigneur, et
130 le mort était oublié ; le meurtrier était le mari de la veuve, et ils couchaient ensemble, et les gens aimaient et prisaient davantage le vivant qu'ils n'avaient fait le défunt[4]. Ils le servirent de leur mieux à ses noces qui durèrent jusqu'à la veille du jour où le roi Arthur vint à la fontaine merveil-
135 leuse. Il s'y rendit avec toute sa ménie[5], et nul compagnon ne fit défaut en cette chevauchée.

– Ah ! disait messire Keu, qu'est devenu messire Yvain, lui qui se vanta tant après boire qu'il irait venger son cousin ? Il s'est enfui, je le devine, car il n'osait plus se présenter à
140 nos yeux. Il s'est vanté par orgueil. Il est bien hardi, celui qui ose se targuer[6] d'un exploit dont autrui ne le loue, sans apporter de preuves. Il y a une grande différence entre le mauvais et le preux : le mauvais, en face du danger, parle de lui abondamment, cherchant à abuser[7] les gens qu'il tient
145 pour des sots ; le preux, au contraire, est fâché d'entendre célébrer ses mérites. Néanmoins j'accorde au mauvais qu'il n'a point tort de se vanter, car il ne trouve personne qui mente à sa place. S'il ne se loue, qui le louera ?

notes

1. *crosse :* bâton d'évêque.
2. *mitre :* haute coiffure portée par les évêques.
3. *mandé :* fait venir.
4. *défunt :* personne morte.
5. *sa ménie :* les personnages importants de sa cour.
6. *se targuer :* se vanter.
7. *abuser :* tromper.

— Grâce, messire Keu ! s'écria Gauvain. Si messire Yvain
150 n'est pas ici, vous ne savez s'il n'a pas un empêchement.
Jamais il ne s'est abaissé à vous dire autant de méchancetés
qu'il vous a fait de courtoisies.

— Sire, puisque cela vous ennuie, je me tais.

Le roi versa un plein bassin d'eau sur le perron, et la pluie
155 se mit à tomber à torrents. Puis le ciel se rasséréna, et les
oiseaux chantèrent sur le pin.

Il ne se passa guère de temps que messire Yvain n'entrât,
tout armé, dans la forêt, et ne vint au grand galop sur son
cheval fringant.

160 Messire Keu résolut de demander la bataille au roi, car
quelle qu'en fût l'issue[1], il voulait toujours commencer les
combats et les joutes : faute de quoi[2], il se mettait en colère.

— Keu, fit le roi, puisque vous désirez la bataille, elle ne
vous sera pas refusée.

165 Keu remercie le roi, puis monta, Messire Yvain l'avait bien
reconnu, à son armure ; et il se promettait bien de le couvrir de honte.

Il prit son écu par les enarmes[3], et Keu embrassa le sien.

Ils piquèrent, et allongeant leurs lances, ils les heurtèrent
170 avec tant de force qu'ils les brisèrent tous deux sous le choc.
Keu fait la tourne-boule par dessus les arçons, et il tomba, le
heaume[4] en terre. La leçon suffisait à monseigneur Yvain qui
descendit de cheval et prit le destrier de l'insolent.

Sa déconvenue[5] fit plaisir à plusieurs qui disaient :

175 — Ahi, ahi ! vous voilà gisant tout plat, vous qui méprisiez
tout le monde, et cependant il est juste qu'on vous le

notes

1. **issue :** résultat.   3. **enarmes :** courroies.   5. **déconvenue :** défaite.
2. **faute de quoi :** sinon.   4. **heaume :** casque.

pardonne cette fois, puisque cela ne vous est pas encore arrivé !

Entretant[1], messire Yvain se présenta devant le roi, amenant le cheval par le frein[2].

— Sire, dit-il, prenez ce cheval, car ce serait mal à moi de garder ce qui vous appartient.

— Mais qui êtes-vous ? fit le roi. Je ne vous reconnaîtrai jamais, si vous ne me dites votre nom, ou si je vous vois désarmé.

Lors messire Yvain se nomma, Keu en fut assommé, honteux et confus plus qu'on ne saurait dire. Le roi et les autres ne cachèrent pas leur joie, et ils acclamèrent Yvain, surtout messire Gauvain qui aimait le chevalier par dessus tout.

Le roi le pria de raconter ses aventures. Il brûlait de les connaître.

Yvain raconta son histoire, dans ses moindres détails. Puis il pria le roi et tous les siens de lui faire l'honneur d'héberger chez lui.

Le roi répondit qu'il lui tiendrait volontiers compagnie, durant une semaine.

Ils montèrent aussitôt, et se dirigèrent vers Landuc par le plus court chemin. Messire Yvain envoya devant la route un écuyer qui portait un faucon gruyer[3], pour qu'ils ne surprissent point la dame et que ses gens embellissent les maisons.

Quand madame Laudine apprit la venue du roi, elle en fut très heureuse ; ses gens ne furent pas moins contents. La dame leur commanda de monter et d'aller à sa rencontre. Ils obéirent avec empressement.

notes

1. **entretant** (entre-temps) : pendant ce temps.
2. **frein** : courroie reliée au mors (pièce de métal passée dans la bouche du cheval pour le diriger).

3. **faucon gruyer** : oiseau rapace dressé pour chasser la grue.

205 Ils saluèrent en grande Pompe le roi de Bretagne d'abord,
puis toute sa compagnie.

– Bienvenue, font-ils, à cette route formée de tels pru-
d'hommes ! Béni soit celui qui les mène et qui nous donne
de si bons hôtes !

210 Le bourg s'emplit d'une rumeur d'allégresse[1]. On para les
murs de draps de soie, et des tapis furent étendus sur les
pavés, et pour garantir les rues du soleil, on les couvrit de
courtines[2]. Les cloches, les cors et les bousines[3] retentirent
à grand bruit dans la ville.

215 Devant le roi dansent les pucelles, sonnent des flûtes et les
fréteaux[4], les timbres[5], les tablettes et les tambours. D'agiles
bacheliers[6] sautent et font des tours d'adresse. Tous rivali-
sent de gaîté pour recevoir le roi.

La dame de Landuc était sortie dehors, vêtue d'une robe
220 impériale brodée d'hermine, un diadème au front, tout
orné de rubis. Elle n'avait pas la mine maussade, mais gaie
et souriante, et sur ma parole, elle était plus belle qu'une
déesse. Autour d'elle se pressait la foule, et tous disaient,
l'un après l'autre :

225 – Bienvenu soit le roi, et le seigneur des rois et des seigneurs du monde !

Le roi ne pouvait répondre à tous les saluts. Il vit venir à lui
la dame pour lui tenir l'étrier[7], mais il ne voulut point se
prêter à cette courtoisie, et il se hâta de descendre, aussitôt
230 qu'il la vit.

Elle le salua, lui disant :

---

notes

1. **allégresse :** joie.
2. **courtines :** *ici,* rideaux.
3. **bousines :** trompettes.
4. **fréteaux :** flûtes à bec.
5. **timbres :** sortes de tambourins.
6. **bâchelier :** jeunes hommes qui voulaient devenir chevaliers.
7. **étrier :** anneau en métal qui soutient le pied du cavalier.

— Bienvenu mille fois le roi mon seigneur et béni soit messire Gauvain son neveu !

— Que votre noble personne ait le bonjour, belle dame, répondit le roi.

Ce disant, il l'embrasse, et elle fait de même et de son mieux.

Je ne dis rien de l'accueil qu'elle fit aux autres ; jamais gens ne furent aussi congratulés, aussi honorés et bien servis.

Je vous conterais amplement les réjouissances, si je ne craignais de perdre mon temps : je ferai seulement une brève mention de l'entrevue privée qu'il y eut entre la Lune et le Soleil. Savez-vous de qui je veux parler ?

Celui qui fut le maître incomparable des chevaliers et qui fut renommé par dessus tous doit bien être appelé soleil. J'entends par là monseigneur Gauvain, car il fit resplendir la chevalerie ainsi que le soleil du matin, en dardant ses rayons, illumine tous les lieux où il se répand. Comme au soleil aussi, je donne à Gauvain une lune qui ne peut être que de sens et de courtoisie. Mais je ne le dis pas seulement pour son bon renom, mais parce qu'elle avait pour nom Lunette. C'était la demoiselle de madame Laudine, avenante[1] brunette, très aimable et très avisée[2], comme on l'a vu. Elle se lia vite avec monseigneur Gauvain qui la prisait beaucoup. Il l'appela son amie et lui offrit son service, parce qu'elle avait sauvé de la mort son compagnon et son ami.

Lunette lui raconta avec quelle peine elle avait convaincu la dame de prendre monseigneur Yvain pour mari, et comment elle avait délivré le chevalier, en le rendant invisible à ceux qui le cherchaient au milieu d'eux.

notes

1. avenante : gracieuse.   **2. avisée :** intelligente.

Messire Gauvain rit beaucoup de cette aventure et il dit à Lunette :

— Mademoiselle, je serai votre chevalier, vous me trouverez toujours dans le besoin ; ne me changez que pour un meilleur. Je suis vôtre, tel que je suis, et soyez dorénavant ma demoiselle.

Ainsi leur amitié fut nouée. Les autres, cependant, ne se privaient pas de donoyer[1], car il y avait là bien nonante[2] dames et demoiselles, toutes nobles et de haut lieu, aimables et preuses : ils pouvaient se divertir avec elles, mignoter et accoler[3], ou tout au moins ils avaient le plaisir de les voir, de leur parler et de s'asseoir auprès d'elles.

Messire Yvain se réjouit grandement du séjour du roi. La dame de Landuc honorait beaucoup les chevaliers de sa suite et faisait si bonne mine à chacun que plus d'un fol[4] prit ses sourires et ses attentions pour des preuves d'amour. On peut le traiter de fou, le malheureux qui se croit aimé parce qu'une dame courtoise s'amuse à l'agacer[5], et lui met les bras au cou. L'étourdi se laisse prendre aux belles paroles, et l'on a tôt fait de se jouer[6] de lui.

Les invités ont bien employé leur temps pendant la semaine entière. Il y eut maints déduits de bois et de rivière[7], au gré de chacun. Et qui voulut voir les terres acquises en mariage par monseigneur Yvain put aller s'ébattre à trois ou quatre lieues[8] dans les châteaux des environs.

---

notes

1. **donoyer :** parler d'amour, courtiser.
2. **nonante :** 90.
3. **mignoter et accoler :** échanger des gentillesses et des baisers.
4. **fol :** sot.
5. **agacer :** séduire.

6. **se jouer :** se moquer.
7. **maints déduits de bois et de rivière :** beaucoup de gibier et de poissons de pris.
8. **lieue :** ancienne mesure de distance (environ 4 km.).

Quand le séjour toucha à sa fin, le roi prépara son départ. Les chevaliers avaient fait tout ce qu'ils pouvaient pendant la semaine pour persuader monseigneur Yvain de partir avec eux.

290 — Comment! lui disait messire Gauvain, seriez vous de ceux qui valent moins à cause de leurs femmes? Honni[1] soit qui se marie pour déchoir[2]! Qui a pour femme ou pour amie une belle dame doit s'amender, et il ne faut pas que, du moment qu'il aime, il perde son prix et son nom.

295 Certes, ce ne sera pas là votre seule privation, si vous vous gâtez, vu que la femme a vite repris son cœur, et elle n'a pas tort de mépriser celui qui devient pire, dès que ses feux sont couronnés[3]. Songez d'abord à votre renommée. Rompez le frein et le chevêtre[4]. Nous irons tournoyer[5],

300 vous et moi, afin qu'on ne vous appelle pas jaloux. Vous ne devez pas demeurer oisif, mais hanter les joutes[6] et les tournois, coûte que coûte.

Messire Gauvain lui en dit tant, et tant le requit et pria qu'il obtint de lui la promesse qu'il demanderait congé à sa

305 femme et s'en irait avec ses compagnons, quoi qu'il dût advenir.

Il tire à part Laudine qui ne se doute de rien et lui dit:

— Ma très chère dame, vous qui êtes mon cœur et mon âme, mon bien, ma joie et ma santé, promettez moi une

310 chose pour votre honneur et pour le mien.

La dame, sans savoir de quoi il s'agit lui répond:

— Beau sire, demandez-moi tout ce qui vous sera bon!

---

notes

1. honni: méprisé.
2. déchoir: tomber dans un état inférieur.
3. dès que ses feux sont couronnés: dès qu'il est aimé.

4. rompez le frein et le chevêtre: libérez-vous.
5. tournoyer: participer à un tournoi (*fête guerrière où les chevaliers s'affrontent*).
6. joutes: combats à la lance.

Et messire Yvain lui requiert congé de convoyer[1] le roi et d'aller tournoyer, pour qu'on ne l'appelle pas recréant[2].

315 — Je vous accorde votre congé, répondit sèchement Laudine. Mais jusqu'au jour que je vous marquerai. Passé ce terme[3], l'amour que j'ai pour vous deviendra de la haine, soyez-en sûr. Sachez que je tiendrai ma parole, si vous ne tenez pas la vôtre. Si vous voulez conserver mon
320 amour, et si je vous suis chère en rien[4], songez à revenir huit jours au plus tard après la Saint-Jean[5]. Aujourd'hui est l'octave de cette fête[6]. Vous serez perdu pour mon cœur si, à ce terme, vous n'êtes revenu auprès de moi.

— Dame, ce terme est bien lointain, dit messire Yvain en
325 soupirant. Si je pouvais être pigeon toutes les fois que je voudrais, je serais souvent avec vous. Je prie Dieu qu'il lui plaise de ne pas me laisser si longtemps loin de vous. Mais tel compte tôt retourner qui ne connaît l'avenir ; et je ne sais si quelque empêchement de fait, maladie ou captivité,
330 ne me retiendra pas. Vous devriez réserver[7] le cas.

— Je le réserve. Mais à part cela, je n'admettrai nulle excuse. Si Dieu vous défend de mort, vous n'aurez aucun empêchement, tant que vous vous souviendrez de moi. Or mettez en votre doigt ce mien anneau que je vous donne,
335 je vous dirai apertement[8] de sa pierre ce qu'elle est ; nul véritable et loyal amant ne perd de sang et ne tombe au pouvoir de ses ennemis, pourvu qu'il le porte et y tienne chèrement et qu'il lui souvienne de sa mie[9] : il devient plus

dur que le fer. Celui-ci vous vaudra écu et haubert[1]. Ne le
340 prêtez ni le baillez[2] jamais à nul chevalier. Je vous le donne
par amour.

Messire Yvain a maintenant son congé. Le roi ne voulait
plus attendre.

Les palefrois[3] furent amenés, garnis de selle et de frein.
345 On monta et se mit en route.

Je ne sais comment vous conter le départ de monseigneur
Yvain, et les adieux, et les baisers qu'ils échangèrent, qui
furent mouillés de larmes et embaumés de cœur. Et du roi
que vous conterais-je, comment la dame le convoya, et ses
350 pucelles avec elle, et ses chevaliers aussi ? J'y ferais trop
longue demeure.

Le roi pria la dame qui pleurait, de retourner à son manoir ;
ce qu'elle fit à grand-peine. Et le roi emmena ses gens.

---

notes

1. **haubert :** longue cotte
de mailles.

2. **baillez :** donnez.
3. **palefrois :** chevaux.

47

Le combat de deux chevaliers, XVᵉ siècle.

Repas de fête au Moyen Âge, miniature du XVᵉ siècle.

Au fil du texte

QUE S'EST-IL PASSÉ ENTRE-TEMPS?

1. De qui Yvain s'éprend-il★? *Laudine* p.34

2. Qui l'aide à se rapprocher de la dame qui occupe p.34 ses pensées?

3. Quel argument décide Laudine à rencontrer p.34 Yvain?

AVEZ-VOUS BIEN LU?

4. Qui Yvain épouse-t-il? *Laudine*

5. Qui affronte-t-il pour défendre la fontaine? *Kau*

6. Quelle est l'issue de ce combat? p.40

7. Avec qui Lunette se lie-t-elle? *gauvain*

8. Quel reproche Gauvain fait-il à Yvain? p.45

9. Quelle décision Yvain prend-il? *aller avec les chevaliers*

10. À quelle condition Laudine accepte-t-elle la décision de Yvain? *qu'il revienne 8 jours après St Jean*

11. Quelle promesse Yvain fait-il à son épouse?

ÉTUDIER LE VOCABULAIRE

12. Relevez cinq mots du champ lexical★ du combat dans le passage «Il prit son écu...» jusqu'à «... le destrier de l'insolent» (l. 168 à 173 page 40).

s'éprendre de: devenir amoureux de.

champ lexical: ensemble des mots et expressions qui se rapportent à une même idée.

ÉTUDIER LE DISCOURS

13. Le passage «la dame de Landuc» jusqu'à «plus belle qu'une déesse» (l. 219 à 223 page 42), est-il

☐ une narration?   ☐ une description?

☐ une argumentation?

Justifiez votre réponse.

14. Qui est l'émetteur★ dans le passage «Je ne dis rien…» jusqu'à «… Savez-vous de qui je veux parler?» (l. 238 à 243 page 43).

15. À qui s'adresse-t-on dans ce passage?

ÉTUDIER L'ÉCRITURE

16. Quelle est la figure de style utilisée dans la phrase «monseigneur Gauvain, car il fit resplendir la chevalerie ainsi que le soleil du matin, en dardant ses rayons, illumine tous les lieux où il se répand.»?

À VOS PLUMES

17. Lunette écrit à une autre noble demoiselle pour lui décrire le mariage de sa dame avec Yvain.

LIRE L'IMAGE

18. Citez quelques éléments de l'équipement des chevaliers (p. 48).

19. Quel moment de l'action de ce chapitre l'illustration du bas de la p. 48 représente-t-elle ?

20. Combien de catégories de personnages sont présentes au repas (p. 48) ?

21. Que fait chaque catégorie ?

émetteur: personne qui produit le message.

Le lion dompté

Yvain avait promis à Laudine de revenir au bout d'une année mais, trop occupé à tournoyer, il oublie sa promesse et ne rentre pas à la date fixée. Laudine envoie une jeune fille dénoncer cette trahison devant la cour du roi Arthur et récupérer la bague qu'elle avait confiée à Yvain. Elle ne veut plus le revoir. Fou de douleur, Yvain erre et tombe inanimé dans une forêt. Il est secouru par un ermite, puis il est recueilli et soigné par la dame de Noroison, la châtelaine de l'endroit. Pour la remercier Yvain la défend contre des attaquants mais refuse de l'épouser, car il est toujours amoureux de Laudine. Il reprend sa route.

Messire Yvain cheminait[1] pensif par la forêt profonde. Il erra tant qu'il ouït au loin un long cri douloureux. Il se dirigea de ce côté, et il vit dans un essart un lion aux prises avec un serpent qui vomissait des flammes ; le serpent l'avait saisi par la queue, et il lui brûlait toute l'échine. Messire Yvain ne regarda pas longtemps cette merveille. Il se demanda auquel des deux il aiderait, et il se décida pour le lion, car on ne doit faire de mal qu'aux êtres venimeux et pleins de félonie[2]. Aussi tuera-t-il tout d'abord le serpent ; si le lion l'assaille ensuite, il le trouvera prêt à la bataille, mais quoi qu'il advienne[3], messire Yvain portera secours à la noble bête, comme la pitié l'y invite.

Il tira l'épée, mit l'écu devant sa face pour se garantir du feu que le serpent ruait[4] par la gueule, plus large qu'une oule[5], et il attaqua la bête félonne : il la trancha en deux moitiés et frappa et refrappa tant qu'il la dépeça[6] en mille morceaux. Mais pour délivrer le lion, il dut lui couper un morceau de la queue.

Il crut que le lion allait fondre[7] sur lui, et il se prépara à se défendre. Mais cette idée ne vint pas au lion. Oyez ce que fit la bête franche et débonnaire[8]. Elle tint ses pieds étendus et joints, et sa tête inclinée vers la terre, et s'agenouilla par grande humilité, mouillant sa face de larmes.

Messire Yvain comprit que le lion le remerciait d'avoir tué le serpent, et de l'avoir délivré de la mort. Cette aventure lui plut fort. Il essuya son épée pleine de venin et de bave, et l'ayant reboutée au fourreau, il se remit à la voie[9]. Alors

notes

1. *cheminait :* marchait.
2. *félonie :* traitrise.
3. *advienne :* arrive.
4. *ruait :* lançait violemment.
5. *oule :* marmite.
6. *dépeça :* coupa.
7. *fondre :* se jeter.
8. *débonnaire :* bonne.
9. *se remit à la voie :* se remit en route.

le lion s'en fut à ses côtés, et le suivit car il ne veut plus se séparer de son sauveur : il le gardera et le servira fidèlement toute sa vie.

Il alla devant, tant qu'il sentit sous le vent des bêtes sauvages en pâture[1]. L'instinct et la faim l'invitaient à aller en proie et à pourchasser sa vitaille[2]. Il se mit un peu dans leurs traces, pour montrer à son maître qu'il avait flairé quelque gibier, puis il s'arrêta et le regarda, comme pour attendre son bon plaisir. Yvain comprit bien au regard du lion qu'il ne voulait rien faire sans son ordre : qu'il demeurerait, si son maître demeurait, et qu'il prendrait la venaison[3] qu'il avait flairée, si l'autre faisait mine de le suivre. Alors messire Yvain l'excita, comme il eût fait un brachet[4].

Le lion remit aussitôt le nez au vent ; il ne s'était pas trompé, car à moins d'une archée[5], il vit un chevreuil qui pâturait tout seul dans la vallée. Il eut vite fait de le prendre et de le saigner. Puis il le jeta sur son dos, et l'apporta tout chaud à son maître qui l'en chérit davantage.

Il était presque nuit, Messire Yvain résolut d'héberger dans le bois et de manger un peu de chevreuil. Il se mit à l'écorcher, lui fendit le cuir sous les côtes, lui enleva un lardé[6] de la longe[7], puis il tira du feu d'un caillou et alluma une bûche. Le lardé, mis à la broche, fut vite rôti. Mais ce dîner ne plut guère à monseigneur Yvain, car il n'avait ni pain, ni vin, ni sel, ni nappe, ni couteau ou autre ustensile.

Cependant le lion était couché à ses pieds, sans bouger, et il le regarda tant qu'il eût mangé du lardé à sa convenance. Le lion acheva le surplus jusqu'aux os.

notes

1. en pâture : en train de brouter.
2. sa vitaille : sa nourriture.
3. venaison : gibier.
4. brachet : chien de chasse.
5. archée : portée de flèche.
6. lardé : morceau de lard.
7. longe : haut du dos.

Messire Yvain reposa toute la nuit, la tête appuyée sur son écu, et le lion eut tant de sens qu'il veilla et garda le cheval qui paissait l'herbe maigre du bois.

Ils partirent ensemble au matin, et pendant quinze jours, ils
60 menèrent cette vie. Le hasard les conduisit à la fontaine sous le pin. Il s'en fallut de peu que messire Yvain ne redevînt fou de douleur, quand il approcha du perron et de la chapelle. Le malheureux était tellement accablé de regrets qu'il tomba en défaillance. Dans sa chute, son épée coula
65 du fourreau : la pointe s'enfonça dans sa ventaille[1], et le sang jaillit sous la joue.

Le lion crut son maître mort et en fit une douleur indicible[2]. Pour un peu, il se serait bouté[3] la lame à travers le corps. Il se hâta de retirer l'épée avec ses dents, et l'appuya
70 contre le tronc d'un arbre. Il sauva ainsi son maître qui courait à la mort, comme un sanglier affolé qui fond droit devant lui, sans rien voir.

Quand messire Yvain revint de pâmoison[4], il gémit de plus belle d'avoir laissé passer l'année et d'avoir encouru[5] la
75 haine de sa dame.

« Hélas ! dit-il, pourquoi ne se tue-t-il pas, le misérable qui s'est ôté lui-même la joie ? Que fais-je donc que je ne mets pas fin à mes jours ? Comment puis-je demeurer ici et voir tout ce qui me rappelle ma dame ? Que fait mon
80 âme en un corps si dolent[6] ? Si elle l'avait fui pour toujours, il n'endurerait pas un tel martyre ! Mon devoir est de me mépriser et de me haïr à mort. Pourquoi

notes

1. *ventaille :* partie de la cotte de maille qui protège le bas du visage.
2. *indicible :* inexprimable.
3. *se bouter :* se planter.

4. *revint de pâmoison :* reprit conscience.
5. *d'avoir encouru :* de s'être exposé à.
6. *dolent :* souffrant.

m'épargnerais-je ? N'ai-je pas vu mon lion qui était si désespéré pour moi qu'il voulut se transpercer de mon épée ? Redouterai-je la mort, moi qui ai changé la joie en deuil ? Quelle joie ? La plus merveilleuse de toutes, mais elle a eu peu de durée. Qui a perdu un tel bien par sa faute n'a plus droit au bonheur. »

Tandis qu'il se lamentait ainsi, une captive[1], qui était enfermée dans la chapelle, l'ouït et le vit par une crevasse du mur.

– Dieu, fait-elle, qui entends-je là ? Qui se désole ainsi ?

– Vous-même, qui êtes-vous ? demanda messire Yvain.

– Je suis, fait-elle une prisonnière, la plus malheureuse qui soit.

– Tais-toi, folle, répond Yvain ; ta douleur est plaisir, ton mal est un bien, au prix de ce que j'endure. Plus on est habitué à la joie et aux délices, plus le deuil égare et abat. Un homme faible porte par l'accoutumance[2] un fardeau qu'un plus robuste ne pourrait souffrir.

– Il est vrai, fait la captive, mais cela ne veut pas dire que vous soyez plus malheureux que moi : il m'est avis que vous pouvez aller et venir où il vous plaît, et moi je suis emprisonnée. Et voici le sort qui m'est réservé : demain je serai prise ici et livrée au supplice[3].

– Ah Dieu ! pour quel forfait[4] ?

– Sire chevalier, que Dieu n'ait pas merci de mon âme si je l'ai mérité ! Je suis accusée de trahison, et si je ne trouve quelqu'un pour prendre ma défense demain je serai pendue ou brûlée.

— Alors je puis bien dire que mon chagrin surpasse le vôtre ; car vous pouvez encore être délivrée.

— Oui, mais je ne sais par qui. Ils ne sont que deux au monde qui peuvent oser, pour me défendre, entreprendre un combat contre trois hommes.

— Comment ? Ils sont trois ?

— Oui, sire ; ils sont trois qui m'appellent traîtresse.

— Et qui sont ceux-là qui vous aiment tant, dont l'un serait assez hardi pour combattre contre trois, afin de vous sauver ?

— Je vous le dirai sans mentir : l'un est messire Gauvain, l'autre messire Yvain. C'est pour celui-là que je suis condamnée à mourir.

— Pour qui, dites-vous ?

— Pour le fils du roi Urien, sire, aussi vrai que je prie Dieu de me secourir.

— Je vous ai entendue. Eh bien ! vous ne mourrez pas sans lui. Je suis Yvain en personne, et vous êtes, je crois, celle qui m'avez sauvé la vie dans la salle, entre les deux portes coulantes, où je fus pris et connus si grande angoisse ! J'eusse été tué ou pris, sans vos bons offices[1]. Or dites-moi, ma douce amie, quels sont ceux qui vous accusent de trahison et vous ont enfermée en ce cachot ?

— Sire, je ne vous le cacherai pas, puisqu'il vous plaît que je le dise. Il est vrai que je n'épargnai pas mes peines pour vous aider de bonne foi. Sur ma prière, ma dame vous prit pour époux ; elle suivit mon conseil ; d'ailleurs je puis vous révéler maintenant que je le fis dans son intérêt plus que dans le vôtre. Mais quand il arriva que vous eûtes passé l'année sans revenir auprès d'elle, ma dame s'emporta

notes

1. *vos bons offices :* votre aide.

140 contre moi et crut que je l'avais trompée. Le sénéchal, un larron[1] déloyal, rongé d'envie parce que ma dame m'accordait, plus qu'à lui, sa confiance en mainte affaire[2], en profita pour mettre la brouille entre nous. En pleine cour, devant tous, il m'accusa d'avoir trahi pour vous. Je

145 n'avais d'autre soutien que moi seule, qui savait bien que je n'étais nullement coupable d'un tel crime. Effrayée, et sans prendre conseil de personne, je répondis que je me ferais défendre par un chevalier contre trois. Le félon[3] ne fut pas si courtois que de repousser une telle épreuve. Je ne

150 pouvais me dérober et retirer mon offre. Il me prit au mot, et il fallut m'engager à trouver un tel chevalier dans un délai de quarante jours. Je me rendis en mainte cour, je fus auprès du roi Arthur, et ne trouvai personne qui voulût m'aider ou qui m'apprît quelque chose de vous qui me fût

155 agréable, car on était sans nouvelles de vous.

— Et messire Gauvain, s'il vous plaît, le franc, le bon, n'en avez-vous pas entendu parler? Jamais il ne refuse son assistance à pucelle abandonnée.

— Si je l'avais trouvé à la cour, rien n'aurait pu m'empêcher

160 de lui adresser ma requête[4], mais un chevalier avait emmené la reine Guenièvre, me dit-on; et le roi fut assez fou pour envoyer après lui. Je crois que le sénéchal Keu la conduisit au chevalier qui l'enleva. À monseigneur Gauvain échut la peine[5] de la chercher, et il ne reposera qu'il ne l'ait retrouvée.

165 Telle est la vérité sur mon aventure. Demain par votre faute, je mourrai de mort honteuse et serai arse[6] sans recours.

notes

1. **larron :** voleur.
2. **en mainte affaire :** à plusieurs occasions.
3. **félon :** traître.
4. **requête :** demande.
5. **à Gauvain échut la peine :** c'est Gauvain qui dut aller.
6. **arse :** brûlée.

— À Dieu ne plaise, s'écria messire Yvain, que l'on vous fasse du mal pour moi ! Vous ne mourrez pas, tant que je vivrai. Vous pourrez m'attendre demain, tout prêt à vous rendre service, puisque je le dois, et à faire tous mes efforts pour votre délivrance. Mais gardez bien de ne révéler aux gens qui je suis. De quelque manière que tourne la bataille, veillez à ce que l'on ne me reconnaisse.

— Je mourrais plutôt, sire, que de révéler votre nom à qui que ce soit ! Mais je vous supplie de ne pas revenir pour moi. Je ne veux pas que vous entrepreniez une bataille si cruelle ! Merci de votre promesse, mais soyez-en quitte. Il est mieux que je meure seule que de les voir se réjouir de votre mort et de la mienne. Quand ils vous auraient tué, je ne leur échapperais pas pour cela. Mieux vaut que vous restiez vivant que nous mourions tous deux.

— Ce que vous me dites m'ennuie fort, douce amie, repartit[1] Yvain. Vous ne voulez pas être sauvée de la mort, ou vous dédaignez l'appui que je vous offre. Mais je ne veux plus disputer avec vous. Vous avez tant fait pour moi que je ne dois pas vous manquer dans le besoin. Ce combat vous épouvante, je le vois, mais s'il plaît à Dieu, ils en seront honnis tous trois. C'est assez, je m'en vais me loger dans ce bois, n'importe où, car il n'est point, que je sache, de maison dans le voisinage.

La demoiselle lui souhaita bonne nuit, et messire Yvain partit, suivi de son lion. Ils arrivèrent devant un recet[2] qui était clos tout autour de hautes et épaisses murailles. Ce château était fortement bâti et ne redoutait assaut de mangonneau et de perrière[3]. Mais hors des murs, la place était

notes

1. *repartit :* répondit.
2. *recet :* château.
3. *mangonneau et perrière :* sortes de catapultes.

rase à ce point que borde[1] ni maison n'y restaient debout.
Vous saurez pourquoi une autre fois, quand il y aurait lieu
que je vous le dise.

Messire Yvain se dirigea vers le recet. Aussitôt six ou sept
valets descendirent le pont et allèrent à sa rencontre. Ils
furent fort effrayés quand ils virent le lion, et ils prièrent le
chevalier de laisser l'animal à la porte.

— Taisez-vous, répondit messire Yvain, car je n'entrerai pas sans
lui. Nous logerons ici tous deux, ou je resterai dehors, car je
l'aime autant que moi même. D'ailleurs vous n'avez rien à
craindre ; je le garderai bien, vous pouvez être tranquilles.

— À la bonne heure, répondirent-ils.

Ils entrèrent alors au château, et tandis qu'ils avançaient,
chevaliers et dames, et demoiselles avenantes allaient à leur
rencontre, et les saluaient. On accourut pour le désarmer.

— Bienvenu soyez-vous, beau sire, disent-ils. Et Dieu vous
donne de demeurer ici et d'en repartir joyeux et comblé
d'honneur !

Depuis le plus haut jusqu'au moindre, ils s'empressent et
lui font la fête. Ils l'emmenèrent au château, mais la joie
qu'ils avaient menée fait bientôt place au chagrin. Les voilà
maintenant qui se lamentent et crient, et s'égratignent le
visage. Et tour à tour ils se réjouissent et ils pleurent. Ils
s'efforcent d'être joyeux pour honorer leur hôte, bien
qu'ils n'en aient guère envie, car ils sont épouvantés à la
pensée du lendemain : avant midi, ils en sont sûrs et certains, ils courent une terrible aventure.

Messire Yvain était fort ébahi[2] de les voir ainsi changer de
contenance[3]. Il en parla au seigneur de l'hôtel.

notes

1. borde : cabane.   **2. ébahi :** étonné.   **3. contenance :** attitude.

225 — Pour Dieu, lui dit-il, beau sire, voulez-vous me dire
pourquoi vous m'avez tant honoré, et pourquoi vous vous
réjouissez tant, et tant vous lamentez tour à tour ?

— Oui, s'il vous agrée[1], mais il vaudrait mieux que je le cèle[2].
Je ne voudrais pas vous dire une chose qui vous afflige[3]. Lais-
230 sez-nous faire notre deuil : ne le prenez pas à cœur.

— À aucun prix, répondit messire Yvain, je ne veux vous
voir dans la tristesse, sans en prendre ma part.

— Alors je vous le dirai. Un géant m'a causé un grand dommage. Il voulait que je lui donnasse ma fille qui surmonte
235 en beauté toutes les pucelles de la terre. Ce félon, que Dieu
confonde, a nom Harpin de la Montagne. Il ne se passe un
jour qu'il ne me prenne tout ce qu'il peut de mon avoir[4].
Nul mieux que moi ne doit s'affliger de ces choses ; je
devrais être fou de douleur. J'avais six fils, les plus beaux du
240 monde ; le géant les a pris. Il en a tué deux devant moi, et il
tuera les quatre autres, si je ne trouve quelqu'un qui ose
combattre avec lui, ou si je ne lui livre ma fille ; quand il
l'aura entre ses mains, a-t-il dit, il l'abandonnera pour leur
plaisir aux garçons les plus vils et les plus dégoûtants qu'il
245 trouvera dans sa maison, car il ne daignerait plus la prendre.
Je dois m'attendre à ce malheur demain, si la Providence[5]
ne vient à mon aide. Ce n'est pas étonnant, sire, que nous
pleurions ; pourtant nous tâchons de vous bien accueillir,
car il est fou celui qui attire à lui un prud'homme et ne lui
250 fait pas honneur, et vous me semblez prud'homme. Je vous
ai dit notre grande détresse. Le géant ne nous a laissé, dans
le château et la forteresse, que ce que nous avons céans. Si

---

notes

1. s'il vous agrée : pour vous
faire plaisir.
2. cèle : cache.

3. afflige : attriste.
4. de mon avoir : de ce que
je possède.

5. la Providence : la sagesse
de Dieu.

vous y avez pris garde, vous avez bien vu de vos yeux qu'il
ne nous reste pas un nœud vaillant[1] : hormis[2] ces murs tout
255 neufs, il a rasé tout le bourg. Quand il eut emmené ce qu'il
voulait, il mit le feu au reste.

Messire Yvain écouta le récit de son hôte, et lui dit :

— Sire, je suis très peiné pour vous. Mais je m'étonne que
vous n'ayez pas demandé secours au roi Arthur. Nul félon
260 n'est si redoutable qu'il ne trouve à la cour tels[3] qui met-
traient volontiers sa valeur à l'épreuve.

— Ah ! repartit le riche homme, si j'avais su où trouver
monseigneur Gauvain, je ne l'aurais pas prié vainement[4],
car ma femme est sa sœur germaine, mais un chevalier
265 d'étrange terre[5] est venu à la cour requérir[6] la femme du roi
et l'a emmenée. Cela n'eût pas été possible, ne fût Keu qui
enjôla[7] si bien le roi qu'il lui bailla[8] la reine et la mit sous sa
garde. Il fut fou, et elle folle de se fier[9] à sa conduite. C'est
pour moi un grand dommage et une grande perte, car
270 c'était chose certaine que messire Gauvain fût venu ici en
toute hâte pour protéger sa nièce et ses neveux. Mais il
ignore mon malheur, dont je suis si dolent que le cœur
m'en crèverait pour un peu. Il est parti à la poursuite du
ravisseur, à qui donne Dieu male honte !

275 Messire Yvain poussa de profonds soupirs, en entendant ces
mots. Il répondit, ému de pitié :

— Beau sire, je me mettrais volontiers en péril[10], si le géant
et vos fils venaient d'assez bon matin et n'y faisaient trop

notes

1. **pas un nœud vaillant :** rien.
2. **hormis :** à part.
3. **tels :** des hommes.
4. **vainement :** inutilement.
5. **d'étrange terre :** d'un autre pays.

6. **requérir :** chercher.
7. **enjôla :** réussit à convaincre.
8. **lui bailla :** lui confia.
9. **se fier :** faire confiance.
10. **en péril :** ici, à l'épreuve.

long retard, car je serai ailleurs qu'ici demain à l'heure de
280 midi, comme je m'y suis engagé.

– Je vous remercie mille fois, beau sire, de votre bonne
volonté.

Et tous les gens de l'hôtel disent de même.

À ce moment sortit d'une chambre la pucelle qui était
285 gentille de corps, et de face belle et plaisante. Elle s'avança
simplement, pâle et silencieuse, et la tête inclinée vers la
terre, et sa mère venait à côté d'elle, car le seigneur qui les
avait mandées voulait les présenter à son hôte. Elles
s'étaient enveloppées de longs manteaux pour cacher leurs
290 larmes. Il leur commanda de se découvrir et de lever la
tête.

– Ce que je vous commande de faire ne doit vous affliger,
dit-il, car Dieu nous amène céans un prud'homme bien
né[1] et de grand courage, qui m'assure qu'il combattra
295 contre le géant. Jetez-vous à ses pieds.

– Que Dieu ne le permette, fit aussitôt messire Yvain. Il ne
serait pas convenable que la sœur et la nièce de monseigneur Gauvain se missent à mes pieds. Dieu ne fasse que
l'orgueil m'enfle à ce point que je tolère une telle chose ;
300 j'en porterais une honte ineffaçable. Mais je leur saurais
bon gré si elles prenaient courage jusqu'à demain, pour
voir si Dieu viendra les aider. Il est inutile de me prier
dorénavant ; il faut seulement espérer que le géant viendra
assez tôt pour que je puisse fausser parole, car je ne laisse-
305 rais pour rien au monde d'être à midi à la plus grande
affaire que je ne puis jamais avoir.

notes

1. bien né : qui a de bonnes intentions.

Au fil du texte

QUE S'EST-IL PASSÉ ENTRE-TEMPS?

1. Yvain respecte-t-il la promesse faite à Laudine? *Non*

2. Pourquoi celle-ci envoie-t-elle une demoiselle à la cour du roi Arthur? *bague, dénoncer la trahison*

3. Qu'arrive-t-il à Yvain? *tombe inanimé ds une forêt.*

AVEZ-VOUS BIEN LU?

4. Qui Yvain sauve-t-il et quel compagnon fidèle aura-t-il désormais*? *Lion*

désormais: à partir de ce moment

5. Sous quel nom connaîtra-t-on désormais Yvain?

6. Où leurs pas les conduisent-ils? *p.53*

7. Quels sentiments cet endroit éveille-t-il dans le cœur du chevalier?

8. Quelle captive découvre-t-il? *la demoiselle*

9. Pourquoi est-elle prisonnière? *à cause du retard de Yvain*

10. Quelle décision Yvain prend-il? *l'aider*

11. Qui d'autre est en danger à la fin de ce chapitre?

12. Quel est ce péril? *4 fils et 1 fille*

ÉTUDIER LE VOCABULAIRE ET LA GRAMMAIRE

13. Formez des adverbes de manière à partir des adjectifs ci-dessous. Indiquez comment vous avez procédé.
• pensif   • douloureux   • indicible

14. Relevez les verbes conjugués dans les passages :

A. « Il tira l'épée » jusqu'à « mais cette idée ne vint pas au lion » (l. 13 à 20, p. 52).

B. « – Dieu, fait-elle » jusqu'à « un fardeau qu'un plus robuste ne pourrait souffrir » (l. 92 à 100, p. 55).

À quel temps sont la majorité des verbes conjugués dans le passage A ? Et dans le passage B ? Pouvez-vous expliquer cette différence ?

ÉTUDIER LE DISCOURS

émetteur :
personne qui produit le message.

destinataire :
personne qui reçoit le message.

15. Qui est l'émetteur★ et qui est le destinataire★ dans le passage « Hélas… » jusqu'à « n'a plus droit au bonheur » (l. 76 à 88 pp. 54-55) ?

16. Relevez tous les mots qui représentent l'émetteur dans ce passage. Donnez leur nature.

ÉTUDIER LA PLACE ET LA FONCTION DE L'EXTRAIT DANS L'ŒUVRE

17. Comparez les raisons qui incitent Yvain à combattre

a. lorsqu'il quitte la cour du roi Arthur.

b. lorsqu'il quitte Laudine en compagnie de Gauvain.

c. dans ce chapitre…

    – contre le serpent.

    – contre les trois accusateurs de Lunette.

    – contre le géant Harpin de la Montagne.

Que constatez-vous ?

Le château maudit

Fidèle à ses promesses, Yvain combat et tue le géant qui menaçait son hôte, puis il se rend au château de Laudine pour affronter les trois courtisans qui ont accusé Lunette de trahison. Revêtu de son armure, personne ne le reconnaît. Avec l'aide de son fidèle lion, il sort à nouveau vainqueur de ce combat, innocentant ainsi Lunette. Une autre demoiselle, l'une des filles du seigneur de la Noire-Épine qui vient de mourir, est déshéritée par sa sœur aînée. Le roi Arthur lui donne quarante jours pour trouver un chevalier qui combattra celui qui défend la cause de sa sœur. Malade, elle envoie une jeune fille à la recherche de Yvain car elle a entendu parler de son courage et de sa générosité. La jeune fille le trouve et, en chemin, ils décident de faire étape au château de Pême-Aventure malgré les avertissements des gens qu'ils rencontrent. À leur arrivée, Yvain est frappé par la détresse d'un grand nombre de prisonnières qui semblent vivre comme des esclaves. Cependant, le châtelain les accueille convenablement.

Au matin, quand Dieu, qui ordonne tout avec méthode, eut allumé son luminaire, par le monde, aussitôt qu'il pouvait le faire, messire Yvain se leva promptement, et sa pucelle aussi. Puis ils ouïrent la messe du Saint-Esprit à la chapelle voisine.

Alors il apprit une terrible nouvelle : quand il pensait s'en aller sans encombre[1], cela ne fut point à son choix[2]. Quand il dit :

— Sire, je m'en vais avec votre congé[3].

— Ami, fit le maître de la maison, je ne vous le donne pas encore. Je ne le puis en justice, car il y a dans le château une très mauvaise coutume de diablerie, laquelle est établie depuis longtemps, et que je suis obligé d'observer. Je ferai venir ici deux miens sergents[4] très grands et très forts ; il vous faudra prendre les armes contre eux, de gré ou de force. Si vous pouvez vous défendre victorieusement et les occire tous deux, vous prendrez ma fille en mariage, et vous posséderez ce château et toutes ses dépendances.

— Sire, répondit messire Yvain, je n'ai point désir de me marier. Que votre fille vous demeure ; ce serait un excellent parti pour l'empereur d'Allemagne, car elle est très belle et bien apprise[5].

— Taisez-vous, bel hôte ; vous vous excuserez vainement, car vous ne pouvez échapper à la nécessité. Qui pourra vaincre ces deux maufés[6] qui vont vous assaillir doit avoir ma fille pour femme, et mon château et toute ma terre. Le combat ne peut manquer d'avoir lieu. Je vois bien que c'est la couardise[7] qui vous fait ainsi parler ; vous pensiez éviter la bataille. Mais sachez qu'il vous convient de

notes

1. *sans encombre :* sans difficultés.
2. *cela ne fut point à son choix :* ce ne fut pas le cas.
3. *avec votre congé :* avec votre permission.
4. *deux miens sergents :* deux de mes hommes.
5. *apprise :* éduquée.
6. *maufés :* diables.
7. *couardise :* peur.

30 combattre. Nul chevalier qui couche ici ne peut en être exempt[1]; c'est une coutume, qui aura longue durée, car ma fille ne sera mariée tant qu'elle n'aura pas vu les maufés morts et conquis.

— Il me fut donc jouter malgré moi; je m'en fusse bien
35 passé! Mais puisqu'il en est ainsi, je me battrai.

Les fils du Luiton[2] s'avancèrent; ils étaient hideux et noirs; ils avaient tous deux un bâton cornu de cornouiller[3], garni de cuivre et lié d'archal[4]. Ils étaient armés des épaules jusqu'au bas des genoux, mais ils avaient la tête découverte,
40 ainsi que les jambes qui n'étaient pas menues[5]; ils tenaient sur leurs chefs[6] des écus ronds, forts et légers pour l'escrime. Le lion, dès qu'il les vit, commença à frémir; il comprenait qu'ainsi équipés, ils venaient combattre son maître. Il se hérisse, et se dresse farouche et tout tremblant de colère; il
45 bat la terre de sa queue, bien décidé à s'élancer à la rescousse, avant qu'il soit trop tard.

Quand les fils du Luiton le virent, ils s'écrièrent:

—Vassal, écartez votre lion qui nous menace; ou proclamez-vous recréant, ou mettez-le en tel lieu qu'il ne puisse
50 vous aider et nous nuire[7].

—Vous qui le redoutez, fit messire Yvain, ôtez-le d'ici, car il ne me déplaît nullement qu'il vous gêne, et s'il m'aide, j'en serai fort aise.

— Par ma foi, font-ils, cela ne sera pas. Faites au mieux que
55 vous pourrez, tout seul contre nous deux: c'est la règle. Il vous faut, bon gré mal gré[8], ôter votre lion d'ici.

notes

1. *en être exempt:* l'éviter.
2. *les fils du Luiton:* les deux hommes.
3. *cornouiller:* arbre dont le bois est dur.
4. *lié d'archal:* entouré de fils de laiton.
5. *menues:* fines.
6. *leurs chefs:* leurs têtes.
7. *nuire: ici,* attaquer.
8. *bon gré mal gré:* que ça vous plaise ou non.

– Où voulez-vous que je le mette ?

Lors ils lui montrèrent une chambre, et ils dirent :

– Enfermez-le là-dedans.

60 – Comme vous voulez, dit messire Yvain.

On enferma le lion ; messire Yvain revêtit ses armes, puis monta[1]. Quand ils virent le lion en sûreté, les deux champions s'élancèrent, brandissant leurs masses. Écu ni heaume ne résistent à l'effort de leurs bras ; l'un est défoncé, l'autre

65 se brise comme glace, si bien qu'à travers les trous on pourrait mettre le poing.

Mais le chevalier se défend avec une ardeur que redoublent la honte et la crainte. Il s'évertue[2] à frapper de toute sa force, mais les coups pesants qu'il leur assène[3] ne font

70 qu'exciter leur vigueur.

Cependant le lion était debout, enclos[4] dans sa chambre, car il lui souvenait des bontés du franc chevalier, qui, certes, à cette heure avait bien besoin de son aide.

Il voudrait lui rendre ses bienfaits au grand muid[5] : messire

75 Yvain n'aurait pas de mécompte[6], si le lion pouvait sortir de son cachot. Il va regarder en tous sens, et ne vit pas une fente par où il puisse s'échapper. Il entend le fracas de la bataille qui est vilaine et périlleuse, et il en ressent telle douleur qu'il enrage comme un forcené. Tant il va fouillant qu'il pénètre à

80 travers le seuil, qui était demi-pourri près de la terre, et tant il y gratte qu'il s'y fiche et s'y blottit jusqu'aux reins.

Déjà messire Yvain était harassé[7], car les deux truands étaient endurcis et terriblement forts. Il avait rendu autant

notes

1. **monta :** monta à cheval.
2. **s'évertue :** fait de son mieux.
3. **assène :** envoie violemment.
4. **enclos :** enfermé.
5. **au grand muid :** au centuple.
6. **n'aurait pas de mécompte :** n'aurait pas à s'en plaindre.
7. **harassé :** épuisé.

de coups qu'il avait pu mais il ne les avait pas blessés, car ils
85 étaient savants en escrime, et leurs écus étaient si solides
qu'une épée ne pouvait les ébrécher[1], tant fût-elle tranchante et acérée. Aussi courait-il grand risque de périr de
malemort[2]. Il tint bon cependant : il résista tant qu'à la fin
le lion, après avoir longtemps gratté et fouillé, passa dessous
90 la porte.

Si les félons ne sont pas matés cette fois, ils ne le seront
jamais, car le lion ne lâchera pas sa proie vivante !

Il en accroche un, le trébuche et le roule par terre ainsi
qu'une pelote. Les deux gloutons[3] sont effrayés. Il n'est
95 homme ni femme sur la place qui ne se réjouisse de voir le
premier à bas, car il ne se relèvera point, si l'autre ne le
sauve. Celui-ci s'élance, tant pour secourir son compagnon
que pour se défendre lui-même, dans la crainte que le lion
ne s'attaque à lui à son tour.

100 Messire Yvain serait bien fol s'il ne devançait le glouton
qui s'est présenté, le chef nu ; il lui fait voler la tête du
tronc, avant qu'il ait pu ouvrir la bouche. Cela fait, messire
Yvain accourt auprès de celui que le lion retient entre ses
griffes, et qu'il a mis si mal en point que le médecin y
105 perdrait sa peine. Messire Yvain écarta la noble bête, et vit
que le maufé avait l'épaule arrachée ; il n'était plus redoutable, car il avait perdu son bâton, et gisait, sans mouvement, bien près d'être mort. Il put pourtant desserrer les
dents, et il dit :

110 — Ôtez votre lion, beau sire, s'il vous plaît, qu'il ne me
touche plus : désormais vous pouvez faire de moi tout ce

---

notes

1. ébrécher : abîmer en cassant le bord.   **3. gloutons :** *ici,* canailles.
2. périr de malemort : mourir.

que bon vous semblera. Qui demande grâce doit être entendu, s'il ne trouve homme sans pitié. Je ne me défendrai plus, je me remets en votre main.

115 — Avoue-toi donc vaincu et recréant.

— Sire, il y paraît bien. Je suis vaincu malgré moi, et recréant, je vous l'octroie.

— Alors tu n'as rien à craindre de moi, et mon lion te laissera en repos.

120 Aussitôt tous les gens vinrent à grande allure, et le sire et la dame s'empressèrent auprès du chevalier, et ils lui dirent en l'accolant[1] :

— Vous serez notre damoiseau[2] et notre seigneur, et notre fille sera votre dame, car nous vous la donnons pour 125 femme.

— Et moi, fit messire Yvain, je vous la rends. Gardez-la. Je ne le dis pas par dédain, mais je ne puis ni ne dois la prendre. Mais, s'il vous plaît, délivrez les captives. Le terme est venu, vous le savez, où elles doivent être libres.

130 — C'est vrai, dit le seigneur, je n'y puis contredire, je vous les abandonne. Mais daignez prendre, vous ferez bien, ma fille avec tout mon avoir : elle est belle, gentille et sage. Jamais vous ne trouverez plus riche parti.

— Sire, répondit Yvain, vous ne connaissez pas mes affaires, 135 et l'empêchement que j'ai, et je n'ose vous le raconter. Mais sachez que si je refuse ce que nul ne refuserait, c'est qu'il ne peut en être autrement. Ne m'en parlez plus. La demoiselle qui est venue avec moi m'attend ; elle m'a tenu compagnie, et je veux la lui tenir à son tour, quoi qu'il 140 arrive.

notes

1. *l'accolant :* l'embrassant. 2. *damoiseau :* ici, seigneur.

— Vous voulez partir ? Jamais, si je ne l'ordonne, ma porte ne vous sera ouverte, mais vous resterez en ma prison. Vous me faites injure en dédaignant ma fille que je vous offre.

— Non pas, sire, mais je ne puis épouser femme ni demeu-
145 rer pour rien au monde. Mais s'il vous plaît, je vous promettrai de ma main droite qu'aussi vrai que vous me voyez, je reviendrai, si je le puis, et prendrai ensuite votre fille à l'heure qu'il vous sera bon.

— Maudit soit qui vous en demanderait foi, pleige[1] ou
150 sûreté ! Si ma fille vous plaît, vous reviendrez en hâte, et vous ne reviendriez pas plus tôt pour promesse ou serment. Allez ! je vous dégage de toute garantie ou promesse. Que pluie ou vent vous retienne, ou pur néant, il ne me chaut[2]. Je n'ai pas une fille si méprisable que je vous la donne de
155 force. Or allez à votre besogne. Car il m'importe autant de votre départ que de votre séjour.

Là-dessus messire Yvain s'en retourna, emmenant avec lui les captives que le sire lui avait rendues, pauvres et bien mal habillées. Il lui semblait bien néanmoins qu'elles fussent
160 riches ; elles sortirent du château devant lui, toutes ensemble, deux par deux. Celui qui fit le monde serait venu du Ciel en terre qu'elles n'eussent pas été si heureuses. Les gens du château, qui avaient dit tant d'insolences à monseigneur Yvain à son arrivée, allèrent lui demander pardon, et le convoyèrent.
165 — Je ne sais ce que vous dites, répondit messire Yvain, et je vous déclare quittes envers moi, car vous ne m'avez rien dit, dont je me souvienne, que je tienne pour mal.

Ils furent très contents de ces paroles, et louèrent[3] fort sa courtoisie. Ils lui dirent adieu, lorsqu'ils l'eurent convoyé

notes

1. pleige : garantie. **2. il ne me chaut :** peu m'importe. **3. louèrent :** admirèrent.

170 un long temps. Les demoiselles, à leur tour, prirent congé. Au départ elles s'inclinent toutes ensemble, et lui souhaitent joie et santé, et qu'il arrive selon ses désirs où il a dessein d'aller.

– Dieu vous sauve, répondit messire Yvain, et vous ramène
175 en vos pays saines et heureuses !

Elles s'éloignèrent. Messire Yvain continua son chemin avec la pucelle ; ils errèrent[1] tant toute la semaine qu'ils vinrent au recet où était la déshéritée. Quand celle-ci les aperçut, sa joie fut grande : elle était nouvellement relevée[2]
180 de maladie : il y paraissait bien encore à sa mine.

La première, elle alla au-devant des voyageurs qu'elle salua et accueillit de son mieux, mais je vous tairai la joie qui fut faite à l'hôtel jusqu'au lendemain où ils montèrent·et se mirent en marche.

185 Ils allèrent, et ils virent bientôt le château où le roi Arthur séjournait depuis une quinzaine et plus. La fille aînée du seigneur de la Noire-Épine y était, car elle n'avait pas cessé de suivre la cour. Elle attendait la venue de sa sœur, mais elle n'était pas inquiète, car elle ne pensait pas que la
190 cadette[3] pût trouver un chevalier assez hardi pour se mesurer[4] avec monseigneur Gauvain. La quarantaine[5] touchait à sa fin ; il s'en fallait d'un jour : une fois ce dernier jour passé, elle pourrait entrer en possession de tout l'héritage, sans contestation. Mais elle n'était pas si près du but qu'elle le
195 croyait.

Les voyageurs logèrent, cette nuit-là, hors du château, en un petit hôtel où nul ne les reconnut, comme ils le désiraient.

notes

1. errèrent : *ici*, cheminèrent.
2. nouvellement relevée : récemment guérie.
3. la cadette : sa sœur plus jeune.
4. se mesurer : se battre.
5. quarantaine : période de 40 jours.

Le lendemain, à l'aube, ils sortirent et se cachèrent jusqu'à ce que qu'il fît grand jour.

200 Messire Gauvain n'avait pas reparu à la cour, je ne sais depuis combien de jours : personne n'avait de nouvelles de lui, hors seulement la pucelle pour qui il devait combattre. Il s'était éloigné de trois ou quatre lieues, et il vint à la cour, équipé comme il avait coutume de l'être.

205 Celle qui avait détourné l'héritage le présenta comme le champion chargé de soutenir sa querelle[1].

– Sire, dit-elle au roi, l'heure passe. Il sera bientôt basse none[2], et aujourd'hui expire le délai. Vous voyez comme je suis garnie[3] pour défendre mon droit. Si ma sœur avait dû
210 revenir, elle n'aurait pas tant tardé. Que Dieu soit remercié de ce qu'elle n'est pas venue. Il paraît bien qu'elle n'a pu mieux faire ; elle a perdu sa peine ; moi j'ai été prête tous les jours jusqu'au dernier à défendre ce qui est mien. J'ai gagné sans bataille. Il est donc juste que je m'en aille
215 tenir mon héritage en paix ; car je rendrai raison à ma sœur tant que je vivrai, et elle vivra dolente[4] et chétive[5].

Le roi, qui savait bien que la pucelle avait tort, lui dit :

– Amie, en cour royale on doit attendre que la justice du roi ait prononcé. Vous n'avez pas à vous retirer, car votre
220 sœur viendra encore à temps, je pense.

À ce moment, parut le Chevalier au Lion, et la pucelle avec lui. Ils venaient seuls tous deux, car ils s'étaient séparés, en cachette, du lion qui était resté là où ils avaient couché.

Le roi reconnut la pucelle, et il fut très content de la voir ;
225 il était de son côté, car il s'entendait au droit[6].

notes

1. **querelle :** dispute.
2. **basse none :** neuf heures.
3. **garnie :** prête.
4. **dolente :** dans la souffrance.
5. **chétive :** pauvre.
6. **il s'entendait au droit :** il aimait que la justice soit respectée.

— Avancez, belle, dit-il ; que Dieu vous sauve ! Quand l'aînée entendit cela, elle tressaillit[1] : elle se retourna et vit sa
cadette avec son défenseur. Elle devint plus noire que terre.

— Dieu sauve le roi, et sa ménie, dit la pucelle. Roi, si ma
230   cause peut être défendue par un chevalier, elle le sera par
celui-ci qui m'a fait la grâce de me suivre jusqu'ici ; il avait
pourtant fort à faire ailleurs, le franc chevalier débonnaire.
Mais il eut telle pitié de moi qu'il a tout laissé pour moi.
Maintenant, ma chère sœur ferait une action bonne et
235   courtoise, si elle me rendait mon dû[2] et faisait la paix, car je
ne demande rien de sa part.

— Et moi rien de la tienne, fit l'aînée, car tu n'as et n'auras
rien. Tu ne sauras tant prêcher que tu en tires quelque
chose, quand même tu en sécherais tout de douleur.

240   L'autre, qui était courtoise et accommodante, répondit :

— Certes, je suis fâchée de ce que deux prud'hommes
combattront pour nous deux ; la querelle est mince, mais je
ne puis la tenir pour terminée, car j'y pâtirais[3] trop. C'est
pourquoi je vous saurais bon gré[4], si vous me faisiez droit.

245   — Qui te répondrait serait bien sotte, et musarde[5] ; que le
mauvais feu me brûle, si je te donne de quoi vivre mieux.
Les rives de Seine se rejoindraient plutôt, et l'heure de
prime none[6], plutôt que je renonce à la bataille.

— Dieu y pourvoie, fit la puînée[7], en qui j'ai toute confiance :
250   qu'il vienne en aide à celui qui noblement et charitable-
ment s'offrit à mon service, car il ne sait qui je suis, pas plus
que je ne le connais.

notes

1. **tressaillit :** sursauta.
2. **mon dû :** ce qu'elle me doit.
3. **j'y pâtirais :** je perdrais.
4. **vous saurais bon gré :** vous remercierais.
5. **musarde :** étourdie.
6. **l'heure de prime none :** 6 heures du matin.
7. **puînée :** née après une de ses sœurs ou un de ses frères.

L'entretien prit fin sur ces mots. Les chevaliers s'avancèrent parmi la cour, et tous les gens accoururent, comme à l'accoutumée, friands de[1] voir de beaux coups d'escrime et une belle bataille.

Homme attaqué par un lion. Miniature du XIIIe siècle.

<u>notes</u>

1. friands de : désireux de.

Au fil du texte

QUE S'EST-IL PASSÉ ENTRE-TEMPS?

1. Qui le chevalier au lion a-t-il défendu? *Lunette*

2. Qui demande son aide à nouveau? *jeune fille*

3. Où fait-il halte en chemin?

4. Qu'est-ce qui frappe Yvain en arrivant à cet endroit?

P. 65

---

champ lexical: ensemble des mots et expressions qui se rapportent à une même idée.

AVEZ-VOUS BIEN LU?

5. Pourquoi Yvain ne peut-il quitter le château où il a été hébergé? *66*

6. Qui affronte-t-il? *2 sergents 66*

7. Quelles sont les conséquences de sa victoire? *66*

8. Où se rend-il en quittant le château de Pême-Aventure? *72*

9. Qui doit-il y affronter? *Chevalier Gauvain*

ÉTUDIER LE VOCABULAIRE ET LA GRAMMAIRE

10. Relevez pages 68 et 69 (l. 61 à 90) des mots du champ lexical* du combat.

11. Relevez les participes passés de la phrase suivante et justifiez leur accord:
«Il avait rendu autant de coups qu'il avait pu mais il ne les avait pas blessés, car ils étaient savants en escrime, et leurs écus étaient si solides qu'une épée ne pouvait les ébrécher, tant fût-elle tranchante et acérée».

76

ÉTUDIER L'ÉCRITURE

12. Relevez une périphrase★ qui désigne le lion (p. 69).

13. Quelle figure de style l'auteur emploie-t-il pour décrire la surprise et le déplaisir de la sœur aînée lorsqu'elle voit arriver sa cadette accompagnée de son défenseur (p. 74) ?

À VOS PLUMES

14. Dans un dialogue avec une autre dame de la cour du roi Arthur, la demoiselle qui avait amené le Chevalier au Lion pour la défendre raconte son arrivée et les réactions des différents personnages en présence (sa sœur, le roi, l'autre chevalier, le reste de la cour).

périphrase : procédé qui consiste à dire en plusieurs mots ce que l'on pourrait dire en un seul.

LIRE L'IMAGE

15. Quel moment de l'action l'illustration p. 75 peut-elle représenter ?

16. Quelle est la conséquence de l'intervention du lion ?

Combat de deux chevaliers, à l'image du combat entre Gauvain et Yvain.

La réconciliation

Ceux qui allaient combattre étaient liés depuis longtemps
de la plus vive amitié et à ce moment ils étaient des incon-
nus l'un pour l'autre.

Les deux champions, ayant pris du champ[1], s'élancèrent.
Dès le premier choc, ils brisent leurs grosses lances de
frêne. Ils ne se parlent pas : s'ils eussent ouvert la bouche,
l'étreinte eût été tout autre.

Heaumes et écus furent tôt bosselés et fendus, et les lames
tôt émoussées, car ils frappaient à toute volée, non pas du
plat, mais du tranchant et du pommeau[2] sur les naseaux et
sur le cou, sur le front et sur les joues, leur chair en était
toute bleuie et le sang cailleboté[3] sous les meurtrissures[4].

Ils se dépensent avec un tel acharnement que peu s'en
faut que le souffle ne leur manque : il n'est jagonce[5] ni

notes

1. *ayant pris du champ :* s'étant éloignés.
2. *pommeau :* tête arrondie de la poignée
d'une épée.
3. *cailleboté :* devenu épais

4. *meurtrissures :* bleus.
5. *jagonce :* pierre précieuse de couleur
rouge.

émeraude fixée à leur heaume qui ne soit moulue[1] et
écrasée. Tous s'étonnent qu'ils ne se soient pas encore
décervelés[2]. Leurs yeux étincellent, car ils ont les muscles
puissants et durs, les os et les poings carrés et gros, et ils
taillent de l'épée à tour de bras, et s'en donnent males
grognées[3].

Ils ont tant peiné que leur armure ne tient plus. Alors ils se
tirent un peu en arrière pour reprendre haleine.

Mais leur repos est court, et plus farouchement que jamais
ils se courent sus[4] l'un à l'autre.

Ceux qui regardaient la bataille disaient qu'ils n'avaient
jamais vu chevaliers de tel courage.

– Ils luttent pour de bon, et non par jeu. Jamais ils ne
seront récompensés comme ils le méritent.

Les combattants ont ouï ces paroles, et ils entendent aussi
que les gens parlent d'accorder les deux sœurs. La puînée
s'en était remise à la décision du roi, mais l'aînée ne voulait
pas faire la paix ; elle était si revêche[5] que la reine Guenièvre,
le roi, les chevaliers et les dames, et les bourgeois prirent tous
le parti de l'autre. Ils interviennent auprès du roi pour qu'il
donne à la plus petite le tiers ou le quart de l'héritage et
sépare des vassaux d'un si grand cœur. Ce serait un trop
grand dommage, si l'un infligeait[6] à l'autre affront ou plaie
irréparable.

Le roi répondit qu'il ne voulait pas s'entremettre[7] de faire
la paix, puisque l'aînée s'y refusait, tant elle était méchante
créature.

notes

1. *moulue :* broyée.
2. *décerveler :* fendre le crâne.
3. *males grognées :* de sévères coups.
4. *se courent sus :* s'attaquent.
5. *revêche :* peu accommodante.
6. *infligeait :* donnait.
7. *s'entremettre :* se mêler.

Ce mot parvint aux oreilles des deux champions qui
continuaient à se pourfendre[1] de plus belle, tellement
qu'aux yeux de tous c'était grande merveille que la
45 bataille demeurât[2] indécise, et qu'on ne pût savoir qui
avait le dessus et qui le dessous. Les combattants
eux-mêmes, qui achetaient l'honneur par le martyre,
s'ébahissaient[3] de cette lutte sans issue, et chacun se
demandait, émerveillé, quel était le champion qui se tenait
50 si fièrement en face de lui. Ils combattirent encore longtemps, si longtemps que le jour déclina vers la nuit. Tous
deux avaient le bras fatigué et le corps dolent, et le sang
bouillant leur sortait de mainte blessure, et coulait par
dessous le haubert. Ils souffraient terriblement, et
55 sentaient le besoin de se reposer, et chacun pensait, à part
soi, qu'il avait enfin trouvé son pair[4]. Le combat fut
suspendu.

Il fait déjà nuit noire ; ils n'ont plus guère souci de
reprendre les armes : aussi bien se redoutaient-ils[5] beau-
60 coup l'un et l'autre. Ces deux raisons les invitent à demeurer en paix. Mais ils ne quitteront pas le champ de bataille,
avant que de s'accointer[6] et de se réconforter d'un peu de
joie et de pitié.

Messire Yvain, qui était très preux et courtois, parla
65 d'abord. Son bon ami ne le reconnaît pas au son de sa voix
qu'il avait rauque et basse, tant il était fiévreux et haletant
des coups qu'il avait reçus.

– Sire, fit-il, il est tard. Je crois qu'on ne nous blâmera pas,
si la nuit nous sépare. Pour moi, je puis dire que je vous

70 crains et que je vous prise[1], et que jamais je n'ai engagé
une bataille si âpre[2] et si douloureuse, ni ne vis chevalier
que je voulusse tant connaître. Vous savez bien et utilement
placer vos coups. Jamais chevalier ne sait si bien attaquer et
si bien se défendre. Je crois que jamais je n'en ai tant reçu
75 qu'aujourd'hui. J'en suis encore tout étourdi.

— Ma foi, reprit messire Gauvain, je le suis autant et plus
que vous. Et si je vous demandais de vous faire connaître,
peut-être n'en seriez-vous pas fâché. Si je vous ai donné
du mien, vous m'avez bien rendu le compte et du capital
80 et de l'intérêt, car vous étiez plus large pour rendre, que je
n'étais pour prendre, mais de quelque façon que la chose
tourne, puisqu'il vous plaît que je vous dise de quel nom je
suis appelé, je ne vous le cacherai pas : j'ai nom Gauvain,
fils du roi Lot.

85 Aussitôt que messire Yvain l'entendit, il fut ébahi et
éperdu ; il jette son épée toute ensanglantée et son écu
brisé, et descend de cheval.

— Ha ! las ! quelle mésaventure, s'écrie-t-il, nous nous
sommes battus par une méprise[3] affreuse, ne nous étant pas
90 reconnus ; jamais je n'eusse bataillé contre vous, mais je me
dusse avoué recréant, avec le combat, je vous le jure.

— Qui donc êtes-vous ?

— Je suis Yvain, qui vous aime plus que personne au monde,
car vous m'avez toujours aimé et honoré dans toutes les
95 cours. Mais je veux vous faire telle amende honorable[4] que
je me reconnaisse vaincu au delà de ce qu'on peut l'être.

notes

1. prise : admire.
2. âpre : rude, violente.
3. méprise : malentendu.
4. faire amende honorable : reconnaître ses torts.

—Vous feriez cela pour moi! fit le bon Gauvain. Certes, je serais bien outrecuidant[1] si j'agréais[2] cette amende. Je n'aurais pas cet honneur je vous le réserve.

100 — Ah! beau sire, n'en dites pas plus. Ce n'est pas possible, je suis déconfit[3], battu, maté. Je ne puis plus me soutenir.

— C'est peine inutile, s'écrie l'ami et le compagnon, c'est moi qui suis épuisé et vaincu, et je ne le dis pas par flatterie, car il n'y a pas au monde un étranger à qui je n'en 105 dirais autant, plutôt que de continuer la bataille.

Tout en parlant, il était descendu. Ils tombèrent dans les bras l'un de l'autre ; ils s'accolent et s'entrebaisent[4], et ils ne finissent pas de s'avouer vaincus l'un et l'autre.

La querelle dure tant que le roi et les barons tout alentour 110 viennent en courant. Ils les voient se conjouir[5] et se faire fête, et ils ont grand désir d'apprendre le pourquoi d'un tel changement.

— Seigneurs, dit le roi, dites-nous d'où vient cette amitié et cette concorde[6] soudaine, après tant de haine et de discorde? 115 — Sire, vous saurez, fit messire Gauvain, la malechance qui a donné lieu à cette bataille. Puisque vous venez pour l'entendre, il sera bien que l'on vous dise la vérité. Moi Gauvain, qui suis votre neveu, je ne reconnus pas mon compagnon, monseigneur Yvain que voici, jusqu'à ce que, 120 par un effet de la Providence, il s'enquit de[7] mon nom. Nous nous dîmes qui nous étions et ne nous reconnûmes qu'après nous être bien battus. Si nous avions prolongé le combat, l'issue aurait pu être funeste[8] pour moi, car, par

---

notes

1. **outrecuidant :** arrogant.
2. **j'agréais :** j'acceptais.
3. **déconfit :** vaincu.
4. **s'entrebaisent :** s'embrassent.

5. **se conjouir :** se réjouir.
6. **concorde :** entente.
7. **il s'enquît de :** il demanda.
8. **funeste :** mortelle.

mon chef, il m'eût tué grâce à sa prouesse et par le tort de
125 celle qui m'a conduit sur le pré. Or j'aime mieux que mon
ami m'ait déconfit que tué.

— Beau sire, réplique messire Yvain, vous avez tort de dire
pareille chose. Que le roi sache bien que je suis le vaincu et
le recréant dans cette bataille, sans conteste possible[1].

130 — C'est moi, fait Gauvain.

— C'est moi, répond l'autre.

Tant ils sont francs et gentils tous les deux que l'un octroie
à l'autre la victoire et la couronne, et que ni l'un ni l'autre
ne la veut pour lui.

135 Alors le roi termina le différend[2]. Il était touché de voir les
deux amis se faire tant de caresses[3], après s'être impitoya-
blement maltraités.

— Seigneurs, il y a grand amour entre vous deux ; vous le
montrez bien quand chacun veut s'avouer vaincu. Remet-
140 tez-vous en à moi. J'arrangerai l'affaire, je crois, si bien que
ce sera à votre honneur, et que tout le monde m'en
louera[4].

Les deux compagnons promirent de faire sa volonté.

Le roi dit qu'il trancherait la querelle, en tout bien et loya-
145 lement.

— Où est, dit-il, la demoiselle qui a chassé sa sœur de sa
terre, et l'a de force et sans pitié déshéritée ?

— Sire, me voici.

— Vous êtes là ? Venez donc. Je sais depuis longtemps que
150 vous avez déshérité votre sœur ; vous me l'avez avoué ; son
droit ne sera donc plus contesté. Il vous faut de nécessité la
déclarer quitte.

---

notes

1. *sans conteste possible :* sans aucun doute.
2. *différend :* conflit.
3. *caresses : ici,* gentillesses.
4. *louera :* félicitera.

— Sire, je vous ai répondu à la légère, vous ne devez pas me prendre au mot. Pour Dieu, sire, ne me lésez[1] pas. Vous êtes roi, vous devez vous garder de l'injustice.

— C'est pour cela que je veux faire droit à votre sœur. Vous avez bien entendu que votre chevalier et le sien se sont rendus à ma merci. Je ne parlerai pas suivant votre désir, car votre tort est connu. Chacun des chevaliers se prétend conquis par l'autre tant il veut l'honorer. Je n'ai pas à m'arrêter à cette querelle courtoise. Puisque la chose m'est remise, ou bien vous ferez à ma volonté tout ce que je déciderai justement, ou bien je dirai que mon neveu est vaincu par les armes : ce serait une atteinte portée à sa renommée, et je le dirais à contrecœur.

Il n'avait nullement l'intention de le faire ; il essayait seulement d'effrayer la friponne pour qu'elle rendît l'héritage à sa sœur ; il n'avait d'autre ressource que de lui inspirer de la crainte.

La pucelle redoutait le roi.

— Beau sire, dit-elle, il convient que je fasse votre désir, mais j'en suis très affligée. Je le ferai, bien qu'il me soit pénible, et ma sœur aura ce qui lui revient. Et afin qu'elle en soit tout à fait sûre, vous serez ma caution[2].

— Mettez-la en possession de sa part sur l'heure[3], dit le roi, qu'elle la tienne de vous, et devienne votre femme lige[4]. Aimez-la comme telle, et qu'elle vous aime comme sa dame et sa sœur germaine.

Ainsi le roi arrangea si bien l'affaire que la pucelle fut saisie sur-le-champ[5] de sa terre. Elle lui en rendit mille grâces[6].

notes

1. *lésez :* désavantagez.
2. *caution :* garantie.
3. *sur l'heure :* tout de suite.
4. *lige :* de confiance.
5. *sur-le-champ :* immédiatement.
6. *grâces :* remerciements.

Puis le roi dit à son vaillant neveu et à monseigneur Yvain, qu'ils se laissassent désarmer, car ils pouvaient bien le souf-frir[1] maintenant.

Tandis qu'on leur ôtait leur armure, voici venir au loin le
185 lion qui cherchait son maître. Sitôt qu'il l'aperçoit, il lui fait fête.

Aussitôt, les gens se reculent effrayés, et jusqu'aux plus hardis s'enfuient.

— Restez, s'écrie messire Yvain. Pourquoi fuyez vous ?
190 Personne ne vous chasse. Ne craignez pas que ce lion vous fasse du mal. Il est à moi, et je suis à lui : nous sommes deux compagnons.

Lors ils apprirent la vérité sur les aventures du lion et de son compagnon, qui n'était autre que le vaillant qui avait
195 occis Harpin de la Montagne.

— Sire compain, lui dit alors messire Gauvain, si Dieu m'aide, vous m'avez bien mortifié[2] aujourd'hui. J'ai bien mal reconnu le service que vous rendîtes à mes neveux et à ma nièce en tuant le géant. J'ai pensé souvent à vous, et
200 j'avais grand regret, parce que l'on disait la grande pitié[3] qu'il y avait entre nous. Mais jamais je n'aurais pu penser, et nulle part je n'entendis dire que le Chevalier au Lion portait le nom d'un chevalier de ma connaissance.

Ils étaient désarmés. Le lion ne fut pas lent à accourir près
205 du banc où son maître était assis ; il lui témoigna sa joie aussi vivement que le pouvait une bête muette.

Il fallut mener les chevaliers en infirmerie et en chambre de malade, car ils avaient besoin de médecin et d'onguent[4]. Le roi fit mander un savant chirurgien qui mit tous ses soins à

---

notes

1. **le souffrir :** l'accepter.
2. **mortifié :** donné une leçon d'humilité.
3. **pitié :** ici, complicité.
4. **onguent :** pommade médicinale.

210 les guérir, et ferma et assainit leurs plaies au mieux et au plus tôt qu'il put.

Alors messire Yvain, qui était amoureux fol, amoureux sans remède, vit bien qu'il ne pourrait durer, mais y laisserait sa vie, si la dame n'avait pitié de lui, car il se mourait pour 215 elle. Il délibéra de quitter la cour tout seul, et d'aller guerroyer à sa fontaine : il y soulèverait une telle tourmente que par force et nécessité, sa dame serait bien contrainte de conclure la paix avec lui, ou il ne cesserait pas de tourmenter la fontaine et de faire pleuvoir et venter.

220 Il partit donc avec son lion, qu'il ne voulait abandonner de toute sa vie. Ils errèrent tant qu'ils virent la fontaine. Messire Yvain jeta l'eau du bassin sur le perron. Ne croyez pas que je vous mente : la tempête fut si terrible que je ne saurais en conter le dixième ; il semblait que toute la forêt 225 allait s'engloutir dans l'abîme[1]. La dame craignit que son château ne s'effondrât tout d'un coup : les murs sont croulés, la tour tremble, à peu[2] qu'elle ne soit renversée. Le plus hardi d'entre les Turcs eût mieux aimé être pris en Perse qu'être enfermé entre ces murailles. Les gens avaient telle 230 peur qu'ils maudissaient leurs ancêtres.

— Maudit, s'écriaient-ils, le premier homme qui éleva une maison dans ce pays, maudits ceux qui fondèrent ce château ! Car sous le ciel ils n'eussent trouvé un lieu si détestable, puisqu'un seul homme peut nous envahir et nous 235 persécuter.

— Il vous faut chercher un défenseur, dit Lunette à la dame. Vous ne trouverez personne qui vous prête appui dans ce besoin, si l'on ne va le quérir très loin. Jamais nous ne

serons tranquilles dans ce château, et nous n'oserons passer
240   les murs ni la porte. Si l'on assemblait tous vos chevaliers
pour cette affaire, il n'est pas jusqu'au meilleur qui ne
reculerait, vous le savez bien. S'il en est ainsi, si vous n'avez
personne pour défendre votre fontaine, vous semblerez
folle et vilaine. Ce sera un bel honneur, quand celui qui
245   vous a assaillie[1] s'en ira sans bataille ! Certes, vous êtes bien
à plaindre, si vous n'avisez[2].
    — Toi qui en sais tant, dis-moi ce qu'il faut que je fasse, et je
suivrai ton avis.
    — Dame, si je savais, je vous conseillerais volontiers. Mais
250   vous auriez besoin de conseiller plus raisonnable. C'est
pourquoi je n'ose me mêler de cette chose, et je souffrirai
avec les autres la pluie et le vent, jusqu'à ce que je voie, s'il
plaît à Dieu, quelque prud'homme de votre cour qui se
chargera de votre défense ; mais je ne pense pas que ce soit
255   aujourd'hui. Tant pis pour vos intérêts.
    — Demoiselle, ne me parlez pas des gens de mon hôtel, car
je ne compte pas sur eux pour défendre la fontaine. Mais,
s'il plaît à Dieu, nous verrons à l'œuvre votre esprit avisé ;
c'est dans le besoin, dit on, qu'on met l'ami à l'épreuve.
260   — Dame, s'il était possible de retrouver celui qui occit le
géant et vainquit les trois chevaliers, il ferait bon aller le
quérir. Mais tant qu'il sentira la rancune et le mauvais
vouloir[3] de sa dame, il n'y pas personne au monde qu'il ne
suivrait, à mon avis, jusqu'à ce qu'il reçut sa promesse de
265   faire tout ce qui dépendrait de lui pour le raccommoder[4]
avec elle, vu qu'il en meure de deuil et d'ennui.

---

notes

1. assaillie : attaquée.	**3. vouloir :** volonté.
2. si vous n'avisez : si vous n'agissez pas.	**4. raccommoder :** se réconcilier.

— Je suis prête, dit la dame, avant que vous commenciez les recherches, à vous assurer et à lui jurer, s'il vient à moi, que je m'emploierai sans feinte[1] à cette réconciliation, si je puis
270 le faire.

— Dame, répondit Lunette, ne craignez pas[2] que vous ne puissiez fort bien les accorder ensemble[3], s'il vous convient[4] ; mais vous me permettrez de recevoir votre serment, avant mon départ.

275 — Cela ne gêne nullement, fit la dame.

Lunette apporta aussitôt une châsse[5] précieuse, et la dame se mit à genoux. Lunette très courtoisement lui fit prêter le serment dans les formes requises.

— Dame, fait-elle, haussez la main ! Je ne veux pas qu'après
280 demain, vous m'accusiez de ceci ou de cela, car vous agissez non pour moi, mais pour vous même. S'il vous plaît, vous jurerez de faire tous vos efforts, pour que le Chevalier au Lion recouvre[6] l'amour de sa dame, tel qu'il l'eût autrefois. Madame Laudine leva la main droite et dit :

285 — Tout ainsi que tu l'as dit, je le dis. Aussi vrai que je prie Dieu et les saints de m'aider, je ferai sans feinte tout mon possible pour faire rendre au Chevalier au Lion l'amour et les bonnes grâces[7] de sa dame.

L'adroite Lunette avait bien mené l'affaire, au gré de ses
290 vœux. On lui tira de l'étable un palefroi doux à l'amble[8]. Elle monta et partit, la mine souriante et le cœur content. Elle rencontra bientôt sous le pin celui qu'elle cherchait.

notes

1. je m'emploierai sans feinte : je mettrai tous mes efforts.
2. ne craignez pas : cela ne fait aucun doute.
3. accorder ensemble : réconcilier.
4. s'il vous convient : si vous le désirez.
5. châsse : boîte contenant des reliques *(ce qui reste du corps ou des objets appartenant à un saint).*
6. recouvre : retrouve.
7. bonnes grâces : faveurs.
8. palefroi doux à l'amble : cheval qui va à une allure douce.

Elle le reconnut tout de suite au lion qui était à ses côtés. Elle accourut à grande allure.

295 Elle descendit à terre. Messire Yvain l'avait reconnue. Ils se saluèrent.

– Sire, dit la pucelle, je me réjouis de vous avoir trouvé si vite.

– Comment, dit messire Yvain, vous me cherchiez donc ?

300 – Oui, sire, et jamais je ne fus si heureuse, car j'ai amené ma dame, si elle ne veut se parjurer[1], à redevenir votre dame, et vous son seigneur, comme par le passé. Telle est la vérité.

Messire Yvain fut transporté de joie à cette nouvelle. Il fit
305 fête à Lunette, lui baisant les yeux et le visage.

– Certes, dit-il, ma douce amie, je ne pourrais vous récompenser d'aucune manière de ce service. Jamais je ne pourrai, je le crains, vous honorer comme vous le méritez.

– Sire, que cela ne vous importe ! N'en soyez pas en souci.
310 Vous aurez assez le temps et le pouvoir de m'accorder vos bienfaits, à moi comme aux autres. Je n'ai fait que ce que je devais, et l'on ne me doit pas plus de gré[2] qu'à celui qui rend à autrui[3] ce qu'il lui a emprunté.

– Vous m'avez rendu à usure[4], douce amie. Nous irons donc
315 quand vous voudrez. Mais lui avez-vous dit qui je suis ?

– Non, elle ne vous connaît que sous le nom du Chevalier au Lion.

Ils s'éloignèrent ; le lion les suivit. Ils arrivèrent tous trois au château. Ils ne dirent quoi que ce soit aux gens qu'ils
320 rencontrèrent, tant qu'ils vinssent devant la dame. Laudine

notes

1. *se parjurer :* trahir sa promesse.
2. *pas plus de gré :* pas plus de remerciements.

3. *autrui :* quelqu'un d'autre.
4. *à usure :* beaucoup plus que ce que je vous ai donné.

se réjouit beaucoup d'apprendre que la pucelle amenait le
lion et le chevalier qu'elle brûlait de connaître et de voir.
Messire Yvain tomba tout armé à ses pieds.

— Dame, dit Lunette, relevez-le, et mettez vos soins et votre
325 peine[1] à lui procurer la paix et le pardon, car nul dans le
monde ne le peut, sinon vous.

Lors la dame fit relever le chevalier, et dit :

— Je suis entièrement à sa disposition ; je voudrais faire sa
volonté et ses désirs, pourvu que je le puisse…

330 — Certes, dame, je ne le dirais pas, si ce n'était pas vrai. Vous
en avez le pouvoir plus encore que je vous ai dit. Mais je
vous dirai maintenant toute la vérité ; vous saurez que vous
n'eûtes jamais si bon ami que celui-ci. Dieu, qui veut qu'il
y ait entre vous et lui bonne paix et durable amour, me l'a
335 fait rencontrer aujourd'hui même, tout près. Il ne convient
de donner d'autres raisons pour prouver la vérité de ce
que j'avance : dame, oubliez votre ressentiment[2], car il n'a
d'autre dame que vous-même, c'est messire Yvain votre
époux !

340 À ce mot la dame tressaillit.

— Dieu me sauve, dit-elle à Lunette, vous m'avez bien
attrapée. Tu me feras aimer malgré moi celui qui ne
m'aime ni ne me méprise. Tu as bien agi ! Tu m'as bien
servie à mon gré ! J'aimerais mieux endurer toute ma vie
345 les vents et les orages. Si ce n'était que parjurer est chose[3]
trop laide et vilaine, jamais il ne retrouverait avec moi la
paix et la réconciliation. Toujours couverait en moi ce
dont je ne veux plus parler, comme le feu couve sous la

notes

1. **vos soins et votre peine :** tous vos efforts.
2. **ressentiment :** rancune.

3. **si ce n'était que parjurer est chose… :**
si le fait de revenir sur sa promesse n'était
pas une chose…

cendre, mais je n'ai pas souci de m'en souvenir, puisqu'il
350 nous faut vivre en bon accord…

Messire Yvain entendit que son affaire tournait à sa guise[1].

— Dame, dit-il, à tout pécheur miséricorde[2]. J'ai payé ma
folie, et je le devais bien. La folie me fit demeurer[3] ; je
m'avoue coupable et forfait[4]. C'est une grande hardiesse
355 de ma part que d'oser venir devant vous. Toutefois, si vous
voulez me retenir maintenant, vous n'aurez qu'à vous
louer de votre serviteur.

— Je veux bien, fit Laudine, parce que je serais parjure, si je
ne mettais du mien pour faire la paix entre nous. Je vous
360 l'octroie.

— Dame, cinq cents mercis, le Saint-Esprit me vienne en
aide, nulle chose ne pouvait me causer tant de joie !

Ainsi messire Yvain eut la paix. Vous pouvez croire que
rien ne pouvait lui donner tant de contentement après ses
365 douloureuses épreuves. Il en est venu à bout heureusement, car il est aimé et chéri de sa dame à qui il rend son
amour. Il ne se souvient plus de ses tourments[5] ; il les
oublie dans la joie que lui donne sa très chère amie. Quant
à Lunette, elle est dans l'aisance et comblée au gré de ses
370 désirs, depuis qu'elle a réuni pour toujours le parfait amant
et la parfaite amie.

Chrétien finit ainsi son roman du *Chevalier au Lion*. Il n'en
a pas ouï conter davantage, et vous n'en entendrez pas plus,
si l'on n'y veut pas ajouter de mensonges.

notes

1. *à sa guise :* à sa faveur.
2. *à tout pécheur miséricorde :* toute
personne qui a fauté a le droit au pardon.
3. *demeurer :* rester loin de vous.
4. *forfait :* vaincu.
5. *tourments :* soucis.

L'entrevue des amants, Livre de Messire Lancelot du Lac, enluminure du XVe siècle.

Au fil du texte

AVEZ-VOUS BIEN LU?

1. Quelles sont les relations entre les deux combattants? *79*

2. Pourquoi combattent-ils? *2 soeurs*

3. Quelle est l'issue du combat? *arrêt*

4. Quelle est la décision prise par le roi? *84*

5. Dès qu'il va mieux, où Yvain se rend-il? *fontaine*

6. Quel est son but et comment compte-t-il l'atteindre? *Laudine,*

7. Qui l'aide et de quelle manière? *87*

8. Quel est le dénouement* de l'histoire? *réconciliation*

dénouement:
manière dont
une histoire
se termine.

homonymes:
mots qui ont la
même pronon-
ciation, mais pas
la même ortho-
graphe.

ÉTUDIER LE VOCABULAIRE ET LA GRAMMAIRE

9. À quelle voix sont les verbes dans la phrase «Heaumes et écus furent tôt bosselés et fendus». Justifiez votre réponse.

10. Donnez un synonyme différent de celui donné dans les notes pour le verbe «je vous prise» (l. 70, p. 82).

11. Donnez deux homonymes* du mot «coup» (l. 73, p. 82).

ÉTUDIER LE DISCOURS

12. Dans le passage argumentatif (l. 156 à 165, p. 85), quel argument utilise le roi pour convaincre l'aînée de céder à sa sœur la part d'héritage qui lui revient?

ÉTUDIER UN THÈME : LE COMBAT JUSTICIER

13. Le combat pour faire justice est fréquent dans la littérature. Il est présent dans l'un des extraits du groupement de textes. S'agit-il de l'extrait de :
– Tristan et Iseut ?
– Don Quichotte de la Mancha ?
– Le Cid ?

ÉTUDIER LA PLACE DE L'EXTRAIT DANS L'ŒUVRE

14. Ce chapitre contient-il
☐ l'élément perturbateur du récit ?
☐ une péripétie ?
☐ l'élément de résolution ?

LIRE L'IMAGE

15. Décrivez les deux personnages centraux.

16. Où sont-ils installés ?

17. Que suggère l'attitude du personnage agenouillé au premier plan ?

18. Comment pourrait s'expliquer la présence des chevaliers en armes ?

Retour sur l'œuvre

Pour chacun des exercices 1 à 9, cochez la bonne réponse.

1. *Au début du roman, le jeune Yvain vit…*
- ☐ sur ses terres.
- ☑ à la cour du roi Arthur.
- ☐ dans le château de ses parents.
- ☐ en forêt de Brocéliande.

2. *La fontaine magique a le pouvoir…*
- ☐ de rendre le sol fertile.
- ☐ d'arrêter la pluie.
- ☑ de déclencher la tempête.
- ☐ d'égarer ceux qui s'y désaltèrent.

3. *Yvain décide d'affronter seul Esclados le Roux, le châtelain de la fontaine…*
- ☐ pour épouser sa femme.
- ☐ pour s'emparer de son royaume.
- ☑ pour venger l'affront subi par Calogrenant.
- ☐ pour défendre ses propres biens menacés.

4. *Yvain réussit à persuader Laudine de l'épouser avec l'aide…*
- ☐ de sa nourrice.
- ☐ de son amour.
- ☑ d'une demoiselle astucieuse.
- ☐ de l'appui du roi Arthur.

5. *Après avoir épousé Laudine, Yvain quitte son nouveau foyer…*
- ☐ pour aider le roi Arthur à vaincre ses ennemis.
- ☑ pour participer à des tournois en compagnie de Gauvain.
- ☐ pour voler au secours d'une jeune fille en péril.
- ☐ pour combattre un dragon.

6. *Laudine accepte la séparation à condition qu'Yvain soit de retour…*

☐ au bout d'un mois.

☑ au bout d'un an.

☐ au bout de six mois.

☐ au bout de trois ans.

7. *Yvain décide de venir en aide au lion…*

☐ parce qu'il est le plus faible.

☑ parce que c'est un animal noble.

☐ parce qu'il en a peur.

☐ parce que c'est le symbole de sa famille.

8. *En devenant le Chevalier au Lion, Yvain combat désormais…*

☐ pour son roi.

☐ pour défendre la fontaine périlleuse.

☑ pour combattre le mal et faire triompher la justice.

☐ pour sa gloire personnelle.

9. *Laudine accepte de se réconcilier avec Yvain…*

☐ parce que le roi Arthur le lui demande.

☐ parce que ses parents l'exigent.

☐ parce qu'elle a pitié de lui.

☑ parce qu'elle ne veut pas trahir son serment.

LES PERSONNAGES

10. Tout au long du roman, Yvain rencontre des personnes et des animaux qui seront ses amis ou ses ennemis, parfois les deux. Remplissez le tableau puis répondez à la question suivante : quels sont les personnages ou animaux les plus fidèles à Yvain ?

Personnages, animaux	Amis	Ennemis
Le sénéchal Keu		✓
Esclados le Roux		✓
Lunette	✓	
Laudine	✓	✓
Messire Gauvain	✓	
Le serpent		✓
Le lion	✓	
Le géant Harpin		✓
Le seigneur de Pême-Aventure		✓

11. Parmi ces adjectifs, lesquels peuvent s'appliquer à Lunette ?

- • dévouée
- • rancunière
- • pleine de ressources
- • soumise
- • loyale
- • sournoise

LES LIEUX

12. Charades

a) Mon premier transporte ;
Mon deuxième a souvent opposé les mousquetaires
du roi aux gardes du Cardinal de Richelieu,
à l'époque des Trois Mousquetaires ;
Mon tout est le lieu où le roi Arthur tenait
sa cour plénière.

b) Mon premier est un pichet ;
Mon deuxième est un article démonstratif ;
Mon troisième est un prénom chinois ;
Mon quatrième est une chaîne de montagnes
en Amérique du Sud ;
Mon tout est le nom de la forêt où se trouve
la fontaine magique.

Dossier
Bibliocollège

Schéma narratif

	Aides	Adversaires
1. Le récit de Calogrenant – À la cour du roi Arthur, Calogrenant, cousin germain de Messire Yvain, raconte comment il a déclenché une tempête en forêt de Brocéliande en versant l'eau d'une fontaine magique. – Il raconte sa défaite face à Esclados Le Roux, le seigneur de la fontaine, dont la forêt et le château ont été dévastés par la tempête.	Le vavasseur	Esclados le Roux
2. La mort d'Esclados le Roux – Devançant le roi Arthur et sa suite, Yvain tente seul l'aventure de la fontaine magique. – Il blesse grièvement Esclados le Roux et le poursuit dans son château. – Il est sauvé de la colère des gens du château par Lunette, une demoiselle astucieuse. – Yvain s'éprend de Laudine, la veuve de son adversaire.	Lunette	Les gens d'Esclados le Roux Laudine
3. La veuve et le meurtrier – Aidé par Lunette, Yvain fait la conquête de Laudine qui l'épouse et lui confie la défense de la fontaine magique.	Lunette	Le sénéchal Keu

	Aides	Adversaires
– Le roi Arthur se rend en forêt de Brocéliande et permet au sénéchal Keu de combattre le nouveau défenseur de la fontaine, sans reconnaître Yvain revêtu de son armure. – Yvain l'emporte sur Keu et se fait connaître auprès de ses anciens compagnons. Arthur et sa suite sont chaleureusement accueillis à la cour d'Yvain et de Laudine. – Gauvain persuade Yvain de quitter quelque temps Laudine pour participer à des tournois et d'asseoir sa gloire personnelle. – Laudine fait promettre à Yvain que la séparation ne durera pas plus d'un an et lui offre un anneau magique pour le protéger de tout danger.		
4. Le lion dompté – Yvain oublie la promesse faite à Laudine. – Laudine dénonce cette trahison auprès du roi Arthur et refuse de revoir son époux. – Yvain devient fou de douleur et erre dans la forêt. – Il est secouru par un ermite et guéri par la dame de Noroison. – Il sauve un lion attaqué par un serpent. Celui-ci devient son fidèle compagnon.	L'ermite La dame de Noroison Le lion	Le serpent Laudine

Schéma narratif

	Aides	Adversaires
5. Le château maudit – Yvain veut désormais être connu sous le nom de Chevalier au lion. Il défendra les faibles et combattra le mal. – Il sauve du bûcher Lunette, accusée de trahison par des courtisans envieux. – Il triomphe du géant Harpin de la Montagne qui menace son hôte et sa famille. – Aidé de son lion, il vainc les hommes du Seigneur de Pême-Aventure et délivre les trois cents demoiselles prisonnières dans ce château. Il refuse d'épouser la fille du châtelain car il aime toujours Laudine. – Yvain est sollicité pour défendre la fille cadette du seigneur de Noire-Épine, déshéritée par sa sœur aînée qui a fait de Gauvain son champion.	Le lion	Les ennemis de Lunette Le géant Harpin de la Montagne
6. La réconciliation – Yvain fait encore la preuve de sa vaillance et de sa générosité lors du combat avec Gauvain. – Ayant besoin d'un défenseur pour sa fontaine, Laudine reçoit le Chevalier au lion. – Elle reconnaît en lui son époux Yvain et accepte à nouveau son amour, impressionnée par sa réputation de justicier invincible.	Lunette	Gauvain

Il était une fois
Chrétien de Troyes

L'HOMME

Nous disposons de peu de renseignements sur la vie de ce poète ; grâce aux rares allusions relevées dans ses œuvres, on sait qu'il naquit vers 1135 à Troyes. Vraisemblablement issu de la bourgeoisie, il bénéficia d'une éducation soignée, comportant l'étude des auteurs grecs, romains et arabes ainsi que des éléments d'astronomie, d'arithmétique et de musique. Il parlait le latin et connaissait *l'Art d'aimer* du poète latin Ovide qui constituera l'une des sources d'inspiration de son œuvre. Ensuite, il devint clerc* ou héraut d'armes*, nul ne peut l'affirmer avec certitude, et il a peut-être entrepris un voyage en Angleterre dans sa jeunesse. Il est cependant certain qu'il a vécu à la cour de Marie de Champagne, la fille de la reine Aliénor d'Aquitaine. Femme de lettres raffinée, comme sa brillante mère, celle-ci protégea le poète et lui fit connaître l'univers merveilleux des légendes bretonnes. Chrétien de Troyes fut le premier Français à s'en inspirer et ses romans les plus connus (*Érec et Énide*, *Lancelot*, *Yvain ou le Chevalier au Lion*) se rattachent au cycle de la Table ronde*. Vers la fin de sa vie, au service du Comte de Flandres, l'auteur se passionna pour l'histoire du Graal qui lui fournira la matière de son dernier livre, *Perceval*, resté inachevé.

clerc: personnes instruites.

héraut d'armes: officier qui était chargé de faire des proclamations solennelles, de porter des messages, les déclarations de guerre, etc.

cycle de la Table ronde: ensemble des romans qui racontent les aventures héroïques des chevaliers de la Table ronde et de leur roi, Arthur.

LE POÈTE

Au XIIᵉ siècle, la société médiévale a évolué : les chevaliers autrefois préoccupés à réaliser des exploits au service

Il était une fois Chrétien de Troyes

suzerain :
seigneur qui
accordait des
terres et sa
protection
à un vassal.

de leur suzerain*, deviennent galants et courtois et
obéissent aveuglément aux caprices de leurs dames.
Les romans de Chrétien de Troyes reflètent ce
changement : ils sont entièrement dédiés au culte
de la femme, son thème favori étant le conflit entre
l'amour et la gloire.

Excellent conteur, Chrétien de Troyes aime surprendre.
Les rebondissements, les intrigues qui s'entrecroisent,
interrompues au moment le plus palpitant et reprises
quand on ne s'y attend pas, l'utilisation habile de
nombreuses légendes bretonnes : tout contribue
à captiver le lecteur.

Mais si l'imagination a une large part dans la structure
de ses romans, Chrétien combine habilement fiction
et réalité. Les descriptions minutieuses de l'habillement
de ses personnages, l'évocation des fêtes fastueuses,
donnent à ses pages un caractère documentaire,
permettant au lecteur contemporain de pénétrer
dans l'univers de cette époque. Ainsi le cycle de la Table
ronde devient un monde idéal mais vivant, où la réalité
et le rêve s'entrecroisent. Ce monde est aussi porteur
d'un message d'espoir, car Chrétien de Troyes fait
également œuvre de moraliste : s'il surmonte
les épreuves, son héros peut accéder au bonheur.
Chez lui, il n'y a pas de contradiction entre le réel et
l'idéal, auquel il peut accéder par le dépassement de soi.

Dates clés

vers 1135 :
naissance de
l'auteur.

1170 : premier
roman (*Érec et
Énide*).

1176 à 1181 :
*Yvain ou le
Chevalier au Lion*,
puis *Lancelot*.

vers 1190 : mort
de l'auteur.

LE RAYONNEMENT

L'œuvre de Chrétien de Troyes connut un immense
succès au Moyen Âge comme l'attestent les
innombrables imitations. Il est le créateur d'un
genre littéraire qui a traversé les siècles – le roman,

et le précurseur* de certains procédés repris par des successeurs illustres : ainsi l'entrecroisement de plusieurs actions ou le retour des personnages mis à l'honneur par Honoré de Balzac, entre autres, au XIXe siècle. De nombreuses traductions modernes entretiennent le rayonnement de l'œuvre de Chrétien de Troyes au XXe siècle : citons celles d'André Mary en 1996, de Jean-Pierre Foucher en 1975 et de Michel Rousse en 1994.

Enfin, des adaptations cinématographiques ont rendu les héros arthuriens familiers au grand public et, par leur talent, des acteurs célèbres ont su rendre vie aux personnages de Chrétien de Troyes : Fabrice Luchini (Perceval), Sean Connery (le roi Arthur), Richard Gere (Lancelot).

précurseur: personne qui lance une idée en avance sur les autres.

La vie au Moyen Âge

soubresauts guerriers :
brusques périodes de guerre.

entravé :
freiné.

L'histoire situe le Moyen Âge entre la chute de l'Empire romain d'Occident (en 476) et la prise de Constantinople par les Turcs (en 1453). C'est la période qui sépare l'Antiquité de la Renaissance (XVIe siècle). Cette époque est rude, balayée par des soubresauts guerriers* qui laissent les campagnes dévastées ; l'épanouissement de l'homme est entravé* par de lourdes contraintes imposées par l'Église catholique toute puissante.

UN NOUVEAU SOUFFLE ÉCONOMIQUE ET CULTUREL

À retenir

476 : chute de l'Empire romain d'Occident.

1137 : règne de Louis VII et d'Aliénor d'Aquitaine en France.

1154 : règne de Henri Plantagenêt, devenu Henri II en Angleterre, et d'Aliénor d'Aquitaine, son épouse.

1163 : début de la construction de la cathédrale Notre-Dame de Paris.

1453 : prise de Constantinople par les Turcs.

Un tournant s'opère au XIIe siècle, ouvrant une période d'équilibre et de prospérité. Le long règne des Capétiens assure la stabilité politique et affermit l'autorité royale face aux grands seigneurs féodaux turbulents dont les perpétuels conflits troublent l'ordre et la paix.
Le pays connaît un nouvel essor économique. Les villes se développent et sont un lieu de création et d'échanges culturels. Dès 1180, des professeurs et des étudiants se retrouvent dans des regroupements qui porteront le nom d'universités et où l'enseignement se fait en latin. La mythologie antique y est populaire, c'est sans doute là que les premiers auteurs de romans médiévaux puisent à la source des récits antiques.
Cependant la religion est toujours omniprésente ; les croisades tentent d'étendre le monde chrétien. L'imprimerie n'ayant pas encore été inventée, les livres sont rares et chers. Dans les monastères, des clercs érudits calligraphient des manuscrits richement décorés

d'enluminures*, véritables œuvres d'art, dont les *Très riches heures du Duc de Berry* sont l'exemple le plus éclatant. L'art roman se mue* en art gothique et le pays se recouvre de cathédrales aux contours triomphants.

UN NOUVEL ART DE VIVRE

La société repose toujours sur le lien entre le suzerain* et ses vassaux, mais, à ses moments perdus, le guerrier devient poète. Le goût pour la discussion d'idées marque la naissance d'une pensée philosophique, la courtoisie s'épanouit autour des cours médiévales plus raffinées, créant un nouveau climat intellectuel et sentimental. Des souverains attachés aux belles lettres, comme Aliénor d'Aquitaine et sa fille, Marie de Champagne accueillent, protègent et inspirent les poètes de l'époque : Thomas, Marie de France, Chrétien de Troyes. La littérature reflète cette évolution : aux rudes exploits, aux âpres étreintes* des chansons de geste se substituent la galanterie des romans courtois, la gracieuse symbolique* des lais*. L'histoire d'Yvain et de Laudine se trouve au carrefour de ces diverses influences, qu'elle intègre et mélange avec bonheur. Il en ressort une œuvre unique qui jouit d'une immense fortune*, car elle est le parfait reflet de ce nouvel art de vivre qui goûte autant les exploits guerriers que les histoires d'amour.

enluminures :
lettres peintes ou miniatures, ornant d'anciens manuscrits.

se mue :
se transforme.

suzerain :
seigneur qui accordait des terres et sa protection à un vassal.

âpres étreintes :
durs affrontements.

gracieuse symbolique :
ensemble des symboles gracieux.

lais :
chansons en vers.

fortune :
ici, succès.

Les Très Riches Heures du duc de Berry, le mois de juin, XVe **siècle.**

Un roman courtois

DU LATIN AU ROMAN

Le mot « roman » désignait à l'origine la langue parlée par la population du vaste Empire romain, mélange d'idiomes « barbares »* introduits par les peuples soumis à Rome et de latin « vulgaire ». Lorsque l'Empire romain fut disloqué, cette langue survécut aux quatre coins du continent européen et l'on commença à traduire en roman les récits de l'Antiquité.

À la cour de la reine Aliénor d'Aquitaine, on lisait ainsi le *Roman de Troie* (écrit vers 1160), traduit en langage populaire par des clercs (instruits dans des écoles où l'enseignement se faisait exclusivement en latin). La tradition fut perpétuée par ses filles : Aliès, à Blois, et Marie, en Champagne, ainsi qu'à la cour du comte de Flandres. Comme la lecture de ce type de récit était de plus en plus appréciée des nobles dames et preux chevaliers qui composaient le public, des poètes en créèrent de nouveaux, en puisant à de nouvelles sources. Les légendes bretonnes, qui mêlaient admirablement récits merveilleux celtes, histoires d'amour et exploits guerriers, furent abondamment exploitées car elles représentaient une matière idéale. Les nouveaux récits prirent le nom de la langue qu'ils utilisaient ; on les appela des « romans ». Ce nouveau genre littéraire allait connaître un essor important dans les siècles à venir.

À la différence des chansons de geste qui les avaient précédés, ces récits en vers de huit syllabes, rimant deux

idiomes barbares : langues étrangères pour les Grecs et les Romains.

À retenir

D'abord une langue populaire issue du latin, le roman devient ensuite un genre littéraire où la fiction mêle exploits guerriers, amour courtois et merveilleux. Les premiers romans, appelés « romans courtois », étaient inspirés des récits antiques et des légendes bretonnes autour du roi Arthur et des chevaliers de la Table Ronde.

Un roman courtois

par deux, étaient destinés à un petit cercle ; ils étaient lus
dans le cadre clos et intime d'un petit verger ou
de la chambre d'une dame.

Des clercs* ou des jongleurs* les lisaient à haute voix,
ainsi que certaines dames, souvent plus instruites que
les chevaliers qui se consacraient au métier des armes.
Le récit était découpé en épisodes, chacun contenant
un combat et un élément merveilleux.

Pour soutenir l'attention, les lieux grandioses étaient
choisis : cour royale, forêt magique, châteaux où occupants
et assaillants s'affrontaient…

La quête*, l'épreuve, l'amour et le merveilleux sont
les quatre ingrédients indispensables au succès de
ces romans au Moyen Âge.

LE RÈGNE DE LA COURTOISIE*

Au XIIe siècle, les mœurs s'adoucirent : des loisirs
plus raffinés, les bonnes manières, le langage policé*,
l'attention envers les dames remplacèrent peu à peu
la rudesse des comportements guerriers appréciés
auparavant. Ainsi naquit la courtoisie et avec elle, les
romans d'aventures devinrent des romans courtois.

On exigeait que les chevaliers ne dédient plus leurs exploits
à leur suzerain*, mais à l'élue de leur cœur,
dont ils arboraient souvent les couleurs.

Celle-ci se devait d'être inaccessible, exigeant des chevaliers
soumission et victoires dans les épreuves, seul moyen
d'accéder à ses faveurs.

Ces rapports correspondaient sans doute plus à un idéal de
l'époque, qu'à une réalité sociale.

Cependant, mis à la mode par des femmes cultivées, qui régnaient sur certaines cours de l'époque, ce nouvel art de vivre marquait une réelle évolution du rôle social de la femme et teintait de douceur les rapports sociaux d'un monde régi jusqu'alors exclusivement par la loi du plus fort.

Conversation dans un jardin, Miniature du « Renaud de Montauban », XIIe siècle.

Groupement de textes :
Le combat héroïque

L'affrontement guerrier est un leitmotiv qui traverse les siècles et passionne le jeune lecteur quelle que soit l'époque. Qu'il s'agisse d'Hector affrontant Ajax, de Tristan aux prises avec le géant Morholt ou de Rodrigue face à Don Gormas, on craint toujours pour la vie du héros, on souhaite ardemment que le bien l'emporte sur le mal. Dans la littérature médiévale, les scènes de combat sont des points forts de l'action, ayant pour but d'augmenter le suspense et de maintenir l'intérêt du lecteur. En voici quelques-unes.

L'ILIADE

Depuis dix ans, l'armée grecque, conduite par Agamemnon, assiège la ville de Troie pour venger l'affront fait par Pâris, fils du roi de Troie, à Ménélas, roi de Sparte. En effet, Pâris a enlevé la belle Hélène, épouse de Ménélas, et refuse de la relâcher. Une querelle éclate entre Agamemnon et le valeureux Achille, fleuron des combattants achéens[1], amenant ce dernier à se retirer des combats et diminuant ainsi les chances de victoire de son camp. Épuisées par ce long conflit, les deux armées choisissent de se faire représenter par deux champions, épargnant ainsi des vies dans les deux camps. Hector se battra pour Troie et Ajax pour la Grèce.

notes

1. achéens : grecs.

Ajax brandissait sa longue lance et son bouclier grand comme une tour recouvert de sept peaux de taureaux et d'une plaque de bronze. S'approchant d'Hector, il lui lança des menaces :

« Maintenant, Hector, tu vas apprendre, seul à seul, quels sont les meilleurs guerriers achéens après Achille au cœur de lion. Engage donc le combat. »

Et Hector au casque mouvant répondit :

« Divin Ajax, fils de Télamon, n'essaye pas de me faire peur comme à un faible enfant ou comme à une femme qui ignore tout du combat. Je sais combattre et tuer les hommes. C'est de face et non par surprise que je veux attaquer un homme tel que toi ! »

Et brandissant sa longue pique vibrante, il la lança droit sur le bouclier d'Ajax. La pointe pénétra à travers les sept peaux de taureaux jusqu'à la plaque d'airain qui faisait le fond du bouclier. Ajax à son tour lança sa pique, elle traversa le bouclier d'Hector et s'enfonça dans la cuirasse ouvragée, déchirant sa tunique, mais Hector se courba et évita la mort.

Les deux guerriers, reprenant leurs lances, se ruèrent alors l'un contre l'autre, semblables à des lions mangeurs de chair crue. Hector tordit sa lance contre le bouclier de son adversaire.

Ajax bondit, frappa le bouclier qu'il traversa de sa pique, arrêta Hector qui se ruait et le blessa à la gorge. Le sang noir jaillit.

Mais Hector continua à combattre. Reculant, il saisit une grosse pierre, noire et rugueuse, et atteignit en plein milieu le bouclier d'Ajax. L'airain résonna sourdement. Ajax à son tour ramassa une pierre encore plus lourde et la lança avec une violence inouïe. Sous le choc, Hector tomba à genoux.

Mais Apollon le redressa aussitôt. Ils se seraient frappés à l'épée sauvagement si les hérauts, messagers des dieux et des hommes, n'étaient intervenus. Ils levèrent leurs sceptres entre les deux guerriers et dirent :

« Ne combattez pas plus longtemps, mes chers fils, car Zeus, amasseur de nuées, vous aime tous deux, et vous êtes également braves. Nous le savons tous. Mais voici la nuit, et il est bon d'obéir à la nuit. »

Ajax répondit :

« C'est Hector qui a provoqué le combat, qu'il décide et j'obéirai. »

Hector prit à son tour la parole :

« Ajax ! Un dieu t'a donné la prudence, la force et la grandeur, et tu l'emportes avec ta lance sur tous les Achéens. Cessons pour aujourd'hui le combat. Nous le reprendrons plus tard, jusqu'à ce qu'un dieu donne la victoire à l'un de nous. La nuit s'avance. Retourne auprès des navires achéens réjouir tes compagnons. De mon côté, je vais aller dans la grande cité réjouir les Troyens et les Troyennes. Mais avant de nous quitter, échangeons d'illustres dons, afin que tous disent : ils ont combattu à cause de la discorde, mais ils se quittent avec amitié. »

Hector offrit alors à Ajax son épée aux clous d'argent avec son fourreau et son baudrier et Ajax lui donna un ceinturon éclatant, couleur de pourpre. Et ils se retirèrent, l'un vers les Achéens et l'autre vers les Troyens.

Homère, *Iliade*, d'après la traduction de Leconte de Lisle,
Le Livre de Poche Jeunesse, Hachette Jeunesse, 1991.

TRISTAN ET ISEUT

Tristan, neveu du Roi Marc de Cornouailles, arrive à la cour de son oncle sans dévoiler son nom, car il veut faire ses preuves. Le roi est rapidement conquis par les qualités du jeune homme et en fait son homme de confiance. Mais voilà que le royaume est menacé par un effroyable danger : un géant, le Morholt, vient réclamer au nom du roi d'Irlande, un tribut[1] dont le roi Marc serait redevable en raison d'une défaite ancienne. Tristan décide d'affronter le dangereux en combat singulier afin de délivrer le pays de cette dette. Le combat doit avoir lieu en l'île Saint-Samson.

notes

1. tribut : ce qu'un peuple vaincu doit payer au vainqueur.

Or, tandis qu'ils parlaient la nouvelle se répandit que le Morhoult était déjà dans l'île, prêt à livrer la bataille. Alors Tristan demande qu'on lui baille[1] son heaume ; le roi lui-même le lace. Et, dès qu'il est armé, il monte à cheval, va vers son bateau, y monte et nage vers l'île. Le voici qui en sort, avec son cheval. Puis il lance à la dérive sa barque qui s'éloigne. Le Morhoult lui demande pourquoi il faisait ainsi.

— Je le fais, dit Tristan car si je suis tué, tu me mettras en ta nacelle[2], et nous nous en irons là où nous aurons devisé[3].

— Tu es sage, répond le Morhoult, et pour le sens que je vois en toi, je ne voudrais pas ta mort. Pourquoi ne pas rompre[4] cette bataille, laisser ce que tu n'as entrepris que par folie et jeunesse ? Je te retiendrais auprès de moi, et nous serions compagnons, moi et toi.

Mais Tristan :

— La bataille, je la laisserais volontiers, si tu voulais acquitter les gens de Cornouailles du tribut de jouvenceaux que tu leur demandes car autrement il me semble impossible de le faire.

— Non, dit le Morhoult, je t'appelle au combat.

— Je suis prêt, répondit Tristan, c'est pour cela que je suis venu.

Alors ils laissent courir leurs chevaux l'un contre l'autre, et ils croisent si vigoureusement leurs glaives qu'ils les font plier durement. Et sachez qu'ils se fussent tués, l'un l'autre, si leurs glaives n'avaient volé en morceaux. Ils se heurtent du corps et de la poitrine si sévèrement qu'ils se trouvent à terre, sans qu'ils puissent dire s'il fait jour ou nuit. Ainsi ils se relèvent grièvement atteints.

Tristan est blessé du glaive envenimé du Morhoult, et le Morhoult est blessé par le fer du glaive loyal de Tristan. Alors ils tirent leurs épées, s'en portent les plus grands coups qu'ils peuvent, si bien qu'en peu d'heures les voici fatigués des horions[5] qu'ils échangent ; et ce n'est pas l'armure qu'ils portent qui saurait leur éviter de graves et d'étonnantes plaies, car ils perdent abondamment leur sang.

notes

1. baille : ferme.
2. nacelle : petit bateau.
3. devisé : choisi.
4. rompre : interrompre.
5. horions : coups violents.

Le Morhoult, qui pensait être un des meilleurs chevaliers du monde, redoute à ce point l'épée de Tristan qu'il en est tout ébahi. Sachez aussi que Tristan redoutait tout autant le Morhoult. Et ceux qui de loin les regardaient assurent que jamais ils ne virent chevaliers de cette force.

Tous deux se craignent pareillement. Et cependant, puisque tous deux sont venus à ce point que l'un doit surmonter l'autre, ils ne s'épargneront pas. Ainsi ils se jettent l'un contre l'autre, l'épée nue à la main, se frappant avec plus de rage et de cruauté que jamais. Et si bien se comportent que le plus sain ne pense échapper vivant. Tristan frappe de l'épée le Morhoult parmi le heaume si rageusement qu'il lui fiche son épée jusqu'au milieu de la tête. De ce coup demeure un grand morceau du tranchant de l'épée dans la tête du Morhoult, au point que la lame est fort ébréchée.

Quand le Morhoult se sent blessé à mort, il jette à terre son écu et son épée; et il s'en retourne fuyant vers son bateau. Il y entre et s'éloigne le plus vite qu'il peut. Ainsi il vient à ses hommes qui le reçoivent en leurs nefs[1], tout dolents et courroucés de cette aventure. Le Morhoult leur dit:

« Or entrons dans la mer et hâtez-vous de ramer jusqu'à ce que nous soyons en Irlande. Je suis blessé à mort et j'ai grand-peur de mourir avant que nous y soyons arrivés. »

Ils font ce qu'il leur commande, appareillent et entrent en la mer. Quand ceux de Cornouailles les virent s'en aller, ils leur crient: «Allez-vous-en sans revenir, et que la tempête vous puisse tous noyer!»

Tristan et Iseut, Le Château, DR.

LE CID

Au XIIIe siècle dans le royaume de Castille, Don Rodrigue, fils de Don Diègue, est très épris de Chimène, fille de Don Gormas et ils doivent se marier. Mais tout est remis en cause par un conflit

notes

1. nefs : navires.

entre les deux pères : Don Gormas, jaloux de Don Diègue,
lui donne un soufflet[1]. Pour un aristocrate espagnol,
c'est un terrible affront qui ne peut être lavé que dans le sang.
Mais trop âgé pour livrer lui-même le combat, le père de
Rodrigue confie cette tâche à son fils. La mort dans l'âme,
le jeune homme provoque en duel le père de sa bien-aimée.

Acte II, scène 2	LE COMTE, DON RODRIGUE

DON RODRIGUE À moi, Comte, deux mots.
LE COMTE Parle.
DON RODRIGUE Ôte-moi d'un doute.
Connais-tu bien don Diègue ?
LE COMTE Oui.
DON RODRIGUE Parlons bas ; écoute.
Sais-tu que ce vieillard fut la même vertu,
La vaillance et l'honneur de son temps ? le sais-tu ?
LE COMTE Peut-être.
DON RODRIGUE Cette ardeur que dans les yeux je porte,
Sais-tu que c'est son sang ? le sais-tu ?
LE COMTE Que m'importe ?
DON RODRIGUE À quatre pas d'ici je te le fais savoir.
LE COMTE Jeune présomptueux !
DON RODRIGUE Parle sans t'émouvoir. Je suis jeune, il est vrai ;
mais aux âmes bien nées
La valeur n'attend point le nombre des années.
LE COMTE Te mesurer à moi ! qui t'a rendu si vain,
Toi qu'on n'a jamais vu les armes à la main ?
DON RODRIGUE Mes pareils à deux fois ne se font point connaître,
Et pour leurs coups d'essai veulent des coups de maître.
LE COMTE Sais-tu bien qui je suis ?
DON RODRIGUE Oui ; tout autre que moi
Au seul bruit de ton nom pourrait trembler d'effroi.
Les palmes[2] dont je vois ta tête si couverte

notes

1. soufflet : coup du plat ou du revers de la main sur la joue, gifle. *2. palmes :* lauriers.

117

	Semblent porter écrit le destin de ma perte.
	J'attaque en téméraire un bras toujours vainqueur ;
	Mais j'aurai trop de force, ayant assez de cœur.
	À qui venge son père il n'est rien impossible.
	Ton bras est invaincu, mais non pas invincible.

LE COMTE — Ce grand cœur qui paraît aux discours que tu tiens,
Par tes yeux, chaque jour, se découvrait aux miens
Et croyant voir en toi l'honneur de la Castille,
Mon âme avec plaisir te destinait ma fille.
Je sais ta passion, et suis ravi de voir
Que tous ses mouvements cèdent à ton devoir
Qu'ils n'ont point affaibli cette ardeur magnanime
Que ta haute vertu répond à mon estime ;
Et que voulant pour gendre un cavalier parfait,
Je ne me trompais point au choix que j'avais fait
Mais je sens que pour toi ma pitié s'intéresse J'ad-
mire ton courage, et je plains ta jeunesse.
Ne cherche point à faire un coup d'essai fatal
Dispense ma valeur d'un combat inégal ;
Trop peu d'honneur pour moi suivrait cette victoire
À vaincre sans péril, on triomphe sans gloire.
On te croirait toujours abattu sans effort ;
Et j'aurais seulement le regret de ta mort.

DON RODRIGUE — D'une indigne pitié ton audace est suivie
Qui m'ose ôter l'honneur craint de m'ôter la vie ?

LE COMTE — Retire-toi d'ici.

DON RODRIGUE — Marchons sans discourir.

LE COMTE — Es-tu si las de vivre ?

DON RODRIGUE — As-tu peur de mourir ?

LE COMTE — Viens, tu fais ton devoir, et le fils dégénère
Qui survit un moment à l'honneur de son père.

Pierre Corneille, *Le Cid*, collection Bibliocollège,
Hachette Éducation, 1991.

DON QUICHOTTE DE LA MANCHA

Au XVIIe siècle, en Espagne, Don Quichotte se passionne pour les romans de chevalerie. Peu à peu, la fiction prend le pas sur la réalité : il s'imagine être l'un de ces vaillants chevaliers du Moyen Âge, dont ses livres sont peuplés. Don Quichotte choisit une paysanne, Dulcinée de Tobosso, comme dame de ses pensées. Il décide de sillonner le pays en quête de géants malfaisants qu'il affronterait pour combattre le mal, jonché sur sa vieille jument, Rossinante, promue[1] destrier par l'imagination délirante de son maître. Son fidèle serviteur, Sancho Panza, métamorphosé en écuyer suit, effaré, le périlleux parcours de l'hidalgo[2], tentant en vain de le ramener à la raison.

En ce moment ils découvrirent trente ou quarante moulins à vent qu'il y a dans cette plaine, et, dès que don Quichotte les vit, il dit à son écuyer :

« La fortune conduit nos affaires mieux que ne pourrait y réussir notre désir même. Regarde, ami Sancho ; voilà devant nous au moins trente démesurés géants, auxquels je pense livrer bataille et ôter la vie à tous tant qu'ils sont.

– Quels géants ? demanda Sancho Panza.

– Ceux que tu vois là-bas, lui répondit son maître, avec leurs grands bras, car il y en a qui les ont de presque deux lieues de long.

– Prenez donc garde, répliqua Sancho ; ce que nous voyons là-bas ne sont pas des géants, mais des moulins à vent, et ce qui paraît leurs bras, ce sont leurs ailes, qui, tournées par le vent, font tourner à leur tour la meule du moulin.

– On voit bien, répondit don Quichotte, que tu n'es pas expert en fait d'aventures : ce sont des géants, te dis-je ; si tu as peur, ôte-toi de là et va te mettre en prière pendant que je leur livrerai une inégale et terrible bataille. »

En parlant ainsi, il donna de l'éperon à son cheval Rossinante. Un peu de vent s'étant alors levé, les grandes ailes commencèrent à se mouvoir ; ce que voyant, don Quichotte s'écria :

notes
_____
1. promue : élevée au rang de.   **2. hidalgo :** noble espagnol.

« Quand même vous remueriez plus de bras que le géant Briarée, vous allez me le payer. »

En disant ces mots, il se recommande du profond de son cœur à sa dame Dulcinée, la priant de le secourir en un tel péril ; puis, il se précipite contre le premier moulin qui se trouvait devant lui ; mais, au moment où il perçait l'aile d'un grand coup de lance, le vent la chasse avec tant de furie qu'elle met la lance en pièces et qu'elle emporte après elle le cheval et le chevalier.

Sancho Panza accourut à son secours de tout le trot de son âne et trouva, en arrivant près de lui, qu'il ne pouvait plus remuer, tant le coup et la chute avaient été rudes.

« Miséricorde ! s'écria Sancho, n'avais-je pas bien dit à Votre Grâce qu'elle prît garde à ce qu'elle faisait, que ce n'était pas autre chose que des moulins à vent et qu'il fallait, pour s'y tromper, en avoir d'autres dans la tête ?

– Paix, paix ! ami Sancho, répondit don Quichotte, je pense, et ce doit être la vérité, que ce sage enchanteur, qui m'a volé les livres et le cabinet, a changé ces géants en moulins, pour m'enlever la gloire de les vaincre, tant est grande l'inimitié qu'il me porte ! Mais en fin de compte son art maudit ne prévaudra pas contre la bonté de mon épée.

– Dieu le Veuille, comme il le peut », répondit Sancho Panza ; et il aida son maître à remonter sur Rossinante, qui avait les épaules à demi déboîtées. C'est ainsi qu'ils arrivèrent à une auberge.

Miguel Cervantès, *Don Quichotte*, traduit de l'espagnol par Louis Viardot, Le Livre de Poche Jeunesse, Hachette Jeunesse, 2000.

Bibliographie et filmographie

BIBLIOGRAPHIE

• Pour mieux connaître le Moyen Âge :

– *Au temps des cathédrales*, de Nathalie Bailleux
et Ginette Hoffman, collection Des enfants dans l'histoire,
Casterman, 1999.

– *Le Moyen Âge*, collection La Vie Privée des Hommes,
Hachette Jeunesse, 1998.

– *Ivanhoé*, de Walter Scott, Le Livre de Poche Jeunesse,
Hachette Jeunesse, 1996.

– *Le chevalier au bouclier vert*, de Odile Weullerse,
Le Livre de Poche Jeunesse, Hachette Jeunesse, 2001.

– *Dictionnaire du Moyen Âge européen*,
de Gaston Duchet-Suchaux, Le Livre de Poche Jeunesse,
Hachette Jeunesse, 1999.

• Pour mieux connaître le roi Arthur et les chevaliers de la Table ronde :

– *Lancelot ou le chevalier de la charrette*, de Chrétien de Troyes,
Folio Junior, Gallimard Jeunesse, 1997.

• Et pour en rire :

– *Don Quichotte*, de Miguel Cervantès,
Le Livre de Poche Jeunesse, Hachette Jeunesse, 2000.

– *Les Portes de l'au-delà (la quête du Graal)*, de J. H. Brennan,
collection « Un livre dont vous êtes le héros », Folio Junior,
Gallimard Jeunesse, 1996.

Bibliographie

FILMOGRAPHIE

De nombreuses adaptations cinématographiques ont rendu les héros arthuriens familiers du grand public.

• Sur la légende arthurienne:

– *Excalibur*, de John Boorman, 1981.

– *Perceval le Gallois*, de Éric Rohmer, 1978.

– *Lancelot*, de Jerry Zucker, 1995.

• Sur la quête du Graal:

– *Indiana Jones et la dernière croisade*, de Steven Spielberg, 1989.

Imprimé en Italie par «La Tipografica Varese S.p.A.»
Dépôt légal : 45336-04/04 - Collection n° 46 - Édition n° 04 - 16/8416/6